阴阳师

〔日〕梦枕貘 著

林青华 施小炜 译

第二卷

南海出版公司

新经典文化股份有限公司
www.readinglife.com
出 品

目录

林青华 译

付丧神卷

瓜仙

一

高大的柿子树下，十余个粗汉正在休息。

七月三日——

白天。梅雨刚过，晴空万里，阳光灿烂。

粗汉们是为躲避烈日来到树下歇息的。

柿子树实在是大。两个成人伸长了手还不能合抱。树枝伸向四方，枝叶下有一大片树荫。树荫下面，有几匹马，驮着装满瓜的筐子。

这里是从大和途经宇治到京城去的大道。粗汉们看来是赶着驮瓜的马，由大和进京的。途中，他们在这柿子树下暂避暑热。

阳光猛烈得几乎要将马背上的瓜煮熟似的。

粗汉们各自捧瓜在手，美美地吃着。瓜的爽甜随风飘散。

在同一棵柿子树下，源博雅坐在折叠凳上，不以为意地望着粗汉们啃瓜的情景。在他的脚旁，放着装水的竹筒。

博雅是在自长谷寺归来的途中。他送圣上抄写的《心经》到寺里，归途中停下牛车，在树荫下避暑纳凉。

仆人三名。随从两名。算上博雅，他们一行共六人。

仆人徒步，随从骑马。各自驻足下马，到树荫下休息。

"咳，为圣上送东西也不轻松啊。"

"这是第二趟了。"

两名随从在一旁闲聊，博雅这边也能听见。

近来圣上兴之所至，抄写起《心经》来，并将抄经送往各处寺院。

许多人都受过指派，至于博雅，则如随从所说，这次是第二次。

第一次是十天前，去的是药师寺。

"最近京城里怪事接连不断，圣上抄经是由于这个原因吧。"

"不，圣上抄经是在怪事出现之前。抄经和怪事是两回事。"

"不过，怪事频频，倒是真的。"

"噢。"

"好像说民部①的大夫藤原赖清大人的女仆也出了怪事吧？"

"这事是昨晚我在长谷寺告诉你的嘛。"

"对对，是你说的。"

"说是最近有个住在西京的人，三天前的晚上，在应天门用弓箭射下一块发出绿光的玉石。"

"哦……"

他们说着这样一件事。这件事也传到了博雅的耳朵里。

民部省的藤原赖清的女仆遇到怪事，经过是这样的：

这位藤原赖清，曾是斋院的杂务总管。他多年来出任斋院的杂务总管，事必躬亲，但有一次得咎于斋院，返回自己的领地木幡，在那里禁闭。

木幡处于自京城前往宇治的大道途中。

赖清有一个女仆，叫作参川嫂，娘家在京城。

---

①唐制称户部。

4

主人赖清回木幡去了，这女仆便得了空闲，也回了娘家。可是，约七天前，赖清派了一个男杂役来找她。

"一直住在木幡的大人忽然有急事，转到这个地方了。因为人手不足，你是否可以到那里去，在大人身边照应呢？"男杂役这样说。

女仆虽然带着个五岁的孩子，但立即抱上孩子，前往指定的地方。

到那里一看，所说的那个家里只有赖清的妻子在，她和蔼地接了女仆进去。

"你来得正好。"

赖清的妻子说，赖清不巧出门去了，家里只有自己一人。要做的事太多了，你可得帮忙呀。

女仆和主人的妻子一起大扫除、染布、浆洗，忙碌的两天一下子就过去了。但是，主人赖清却没有要过来的迹象。

"此刻大人还在木幡呢。有劳你去跟他说，这边的准备工作已经就绪，请大人和各位搬到这个家里来吧。"

既然主人的妻子这样吩咐，女仆便将孩子留在那个家里，自己匆匆赶往木幡。

到了主人的家，见到以前一起做事的杂工和女仆，赖清也在那里。

匆匆忙忙和熟人打过招呼，女仆便向赖清转达了他妻子的话。

可是，听了她的话，赖清却显得很惊讶。

"你说什么呀？"赖清说道，"我从没有搬到过你说的那个家，也没有那样的打算。好不容易解除了禁闭，正筹划返回原来的住处呢。"

他说，正是为此，才把原来的女仆和勤杂工召集到木幡的这个家。

"我还派人到你那里去了，结果你家里人说，你已经被我叫走了。我正想是谁这么机灵，马上就通知你我已被解除禁闭。可是等了两天都不见你的人，正担心着呢。此前你究竟上哪儿去了？"

听主人一说，女仆大吃一惊。她如此这般地赶紧汇报了整件事。

"奇怪。要说我的妻子，一直就在木幡这个家——现在还在嘛。"

赖清向屋里喊了一声，理应在另一个地方的主人妻子竟从屋里走出来。

"哟，好久不见了。你终于来了呀。"

主人的妻子向女仆打招呼。

女仆已经是惊慌失措了。莫非被鬼骗了？

五岁的孩子，还留在那个家里。如果那边的主人妻子是鬼变的，孩子岂非会被鬼生唉？

众人立即提心吊胆地赶往女仆所说的地方，却只见一道半坍的围墙里，有所荒废的房子，屋内空无一人。

在杂草疯长的庭院里，只有女仆的孩子在放声大哭。

这件事就发生在五天前。

西京的某人，看见了应天门上发光的东西，则发生在三天前。

西京的那位，是一位武士。

武士的母亲因病卧床，已有很长时间，但竟在三天前的晚上，忽然表示想见弟弟一面。

她所说的弟弟，并非她自己的弟弟，而是武士的弟弟，即母亲的次子。

这位次子是个僧人，在比叡山。但此时正来京办事，住在三条京极附近，应该是寄宿在僧舍。

"帮我把那孩子叫来吧。"

即便不是去比叡山，三条京极也是相当远的地方。加上已是夜半三更，下人们都已回家了。那地方不是孤身一人能去的。

"明早派人去叫他吧。"

"我这条命已熬不过一个晚上了。今晚我好歹得见上他一面啊。"

这位武士实在受不了母亲如此悲切的恳求。

"明白了。既然如此，半夜就算不了什么了。豁出命也要把弟弟叫回来。"

身为兄长的武士，带上三支箭独自上路，从内野穿过。

细小的月亮难觅踪迹。天上浓云密布，四周几乎漆黑一团，令人毛骨悚然。

途中，须从应天门和会昌门之间通过。

战战兢兢地走过那个地方，终于抵达师僧的僧房。

叫醒师僧一问，才知道弟弟已于今天早上返回了比叡山。

再去比叡山，就实在是不可能的事了。

武士返回老母亲在等待着的家，中途再次路过应天门和会昌门之间的地方。

与第一次相比，走第二次更加可怕。

通过的时候，偶尔一抬头，看见应天门上竟有什么东西发出青光。

啾！啾！

听见老鼠的叫声，然后有笑声从头顶上方传下来。

武士强忍着惊呼的本能，走过了那个地方，但身后那鼠叫声却跟随而来。

啾！啾！

如果加快脚步，那追随而来的声音也变快。

他拔脚狂奔起来。然而，那鼠叫声也步步紧跟，如影随形。

一不留神，已经跑到五条堀川附近。

身后已听不见鼠叫声。武士心想，终于摆脱它了吧。

武士松了一口气。正要迈步向前，却见前方浮现出一团青光，"啾！啾！"的鼠叫声清晰可闻。

"呀！"

武士发声喊，拉弓放箭。眼看着利箭不偏不倚正要命中那团青光时，那团青光却"啪"地消失了，一阵哄笑声回荡在夜空……

接近黎明时分，武士终于回到自己家里。他发起高烧，躺倒在母亲身边。

儿子的意外变化吓了母亲一大跳，母亲反倒病愈了，好歹能够行动。这回变成了儿子病卧在床，由老母亲看护着他。

博雅的随从们在谈论的就是这么一件事。

像两名随从说的那样，京城近来似乎发生了许多莫名其妙的事。

"回去之后，拜访一下晴明吧。"

"不行不行……"

就在博雅自言自语地说出声时，一旁响起了一个声音。

循声望去，只见一位不知从何而来的白发苍苍的老翁，正站在吃瓜的汉子们跟前唠叨。

"哎哎，那瓜也给我一块吧。"

老翁身披破旧的麻布衣，腰间系紧带子，脚穿平底木屐，左手扶杖。他白发蓬乱，夹衣敞开着，右手摇着破扇子扇凉。

"嘿嘿，这个可给不得。"

一个粗汉边吃瓜边说道。

"咳，热成这样子，口干啊。太想吃瓜了，掰一块给我行吗？"

"这些瓜不是我们的东西，我们也愿意分给你一块半块的，可这是往京城送的，我们可不敢拿它送人。"

"可是，你们现在不是随便吃着吗？"

"就因为我们干这活儿，要瓜的人看在这个分上，才让我们这样。"

汉子们依然不理会他的请求。

大和是瓜的产地，每到瓜熟时节，往京城运瓜的人大多走这条路。

"哦，既然如此，给瓜子也行。可以把瓜子给我吗？"

顺着老翁所指望去，汉子们脚下落下了难以计数的瓜子，是他们吃瓜时吐出来的。

"瓜子可以呀。你都拿走吧……"

"不，我只要一颗。"

老翁弯下腰，从地上捡起一颗瓜子。

他走出一两步，站住，用拐杖戳着地面。

博雅想，他要干什么？只见老翁往用拐杖挖出的小洞里丢下瓜子，盖上刚挖出的浮土，掩埋了小洞。

老翁又向博雅转过身来，说道：

"不好意思，您的水可以给我一点吗？"

博雅拿过自己脚旁的竹筒，递给老翁。

"啊，真是不好意思。"

老翁将扇子收入怀中，欢喜地低声道谢。他接过竹筒，往覆盖的泥土上倒了几滴水。

博雅的仆人和粗汉们都被老翁吸引住了，众人盯着老翁的一双手，看他要做什么。

老翁将竹筒还给博雅。

"现在——"

老翁双眼闭合，面露微笑，口中念念有词。

念完咒，他又睁开眼睛，取出扇子，开始给埋了瓜子的泥土扇凉。

"有生命的话，就长出来吧；有心愿的话，就实现它吧……"他这样念道。

于是——

"快看，动了！"

大家注视着的土层表面，似乎微微动了。

"快看，出来啦！"

老翁说着，果见嫩绿的瓜秧破土而出。

"哇！"众人异口同声地惊呼起来。

老翁又说了："看呀，长高啦，长高啦……"

嫩芽迅速生长，茎贴着地面，叶子长得又大又多。

"好嘞，继续长，继续长。看呀，开始结瓜了。"

眼看着茎部结出了小小的果实，长大起来。

"嗨，再长大点，甜一点……"

果如老翁所说，瓜长得滚圆，成熟了，开始散发出瓜熟的芳香。

"正是好吃的时候。"

老翁用手揪下一个瓜，美美地吃了起来。

"哎，大家也来吃吧！想吃多少吃多少啊！"

老翁话音刚落，连博雅的仆人也动手揪了瓜，大嚼起来。

"您也吃吧？就作为答谢您的水啦。"老翁向博雅招呼道。

"不用了，我已经喝了不少水。"博雅婉拒。

这一切是真的吗？

博雅带着这样的疑问，扫视着吃瓜的仆人、随从、老翁。

不可能有这种事吧……

不可能的事却发生了，这岂不是施了幻术？就像晴明常干的那样，大家吃的瓜，就是他用纸片之类的东西剪成的。

可是，仆人们吃得满嘴淌甜汁，两颊鼓胀。怎么看也不像是幻术。

"怎么样？都来吃瓜吧！"

等老翁向围观者和过路人发了话，甜甜的瓜转眼间就没有了。

这时候——

"不得了啦，马背上驮的瓜没有啦！"一个粗汉惊呼道。

博雅朝声音发出的方向望去，千真万确，马背上驮的筐子里，瓜全都消失无踪了。

"哎呀，那老头不见了！"又有一个粗汉喊叫起来。

包括博雅在内，在场的人都睁大眼睛四下寻找那老翁。但是，他已经无影无踪。

二

牛车在烈日下前行。

博雅腰部感受着牛车碾过地面的震动，心里想着刚才的事。

那老头实在是怪。一定是使用了某种法术。

回去马上找晴明，告诉他这件事……他心里想着。

这时，牛车停住了。

"怎么了？"博雅问外面的人。

"刚才种瓜的老头，说有话要对博雅大人说。"

外面传来随从的声音。

掀起车帘一看，那位老翁含笑站在一旁。他右手扶杖，左手托一只瓜。

"是博雅大人吧？"老翁说道。

"正是。"博雅情不自禁地点点头。

"您打算今天晚上到安倍晴明家，对吧？"

这种事，他怎么能知道呢？

没错，刚才自己在车里是这么想的，但那是在头脑里发生的事啊。或许是不经意之间自言自语说了出来，被他听去了？

不等博雅回答，老翁又道：

"您去了，请捎带个话：堀川的老头，今天晚上要去见他。"

"今晚？"

"我要带两支牢房的竹筒过去，拜托他关照一下啦。"

"牢房？"

"你这么说他就会明白了。"

博雅不明白老翁说的话。

"这是给晴明大人的礼物。"

老翁一扬手，将手里的瓜抛过来。

博雅双手接住了瓜。这个瓜颇有些分量。触感很重，丝毫没有幻术之感。

博雅只是打量了一下手中的瓜，再抬头时，那老翁已无影无踪。

只有七月的阳光照着干涸的地面，白晃晃的。

三

"哎，晴明，事情大概就是这样啦。"

博雅说着，这是安倍晴明在土御门大路的家。

梅雨期里吸收了充足水分的草木，在庭院里长得枝繁叶茂。

庭院最先给人的印象，是完全不加修整。

有一棵橘树紧挨着房檐。那边的松树缠绕着藤蔓，这边的树下，开绿色花的露草，尚未开花的黄花龙芽，花已落尽、叶片阔大的银线草，蝴蝶花——诸如此类的杂草这里一丛、那里一簇。

夜色之中，这些草将发酵似的气味散发到空气中。白天的热浪减退之后，杂草的气息扑面而来。

在向着庭院的廊内，博雅和晴明相对而坐。

二人之间放了一个盘子，上面搁着一个装酒的酒瓶，两只装满了酒的杯子。酒是博雅弄到的。

盘子旁放着博雅白天得自那个怪老翁的瓜。

廊内的灯盏里只点着一朵灯火。夏虫围着灯火飞舞，灯盏旁不远的地方，有一两只飞蛾停在上面不动。

"噢。"

晴明用他白皙纤细的右手拿起酒杯，端到唇边，轻嘘一口气。

他呷一口酒，仿佛用唇吸入吹过清酒表面的轻风。

安倍晴明——一位阴阳师。

"怎么样，晴明？记得这么一个老头吗？"博雅问道。

"他说是'堀川的老头'？"

晴明自言自语着，把酒杯放回盘子上。

"有这个人吗？"

"有……"

"他究竟是什么样的人？"

"嘿，别急嘛，博雅。有那么多事要回忆起来，我一下子可说不全。"

"哦。"博雅伸手拿起自己的酒杯，送到嘴边。

"那位老人嘛……"晴明看着博雅说，"他使用了殖瓜之术吧。"

"殖瓜之术？"

"就是下种、长瓜的法术啦。"

"就这样的叫法？"

"大唐的道士经常运用这样的法术。"

"这一手可不得了啊。"

"呵呵。"博雅这么一说，晴明微微一笑。

"你笑什么，晴明？你也懂这种法术吗？"

"哈，说懂嘛，也可以。"

"真的？怎么做的？"

博雅脸上写满"好奇"二字，盯着晴明的脸看。

晴明苦笑着站起身，走到外廊边上，把从庭院伸入廊檐下的橘树枝折下一条，又踱回来。

"能让那树枝长出蜜柑？"

"不行。"坐下来的晴明摇摇头，把树枝伸到博雅面前，说道，"你看。"

"看树枝吗？"

"看叶子。"

"叶子上？"

"有青虫。"

不错，仔细一看，确有一条食指大的青虫，正在啃吃着橘树叶子。

"这虫子怎么了？"

"它很快就要变成蛹。"

"变成蛹？"

"你看，它已经吐丝啦。"

不经意中，青虫已经爬到叶下的小枝上，小心翼翼地将自己的身体牢牢系在枝上，不再移动。

"马上就变蛹啦。"

眼看着青虫的模样在一点一点变化，成了蛹的样子。

"就要变色啦。"

晴明话音未落，青绿的色彩开始消褪，蛹的颜色变成了褐色。

"快看，背部裂开了。"

晴明说着，有轻微的声音响起，蛹的背部裂开了，从中露出了黑色的东西。这黑黝黝的东西缓慢地抬起头来。

"嘿，要化蝶啦。"

蝶从裂开处探出了头部，拱出尾部，收叠的翅膀也露出来。

蝶靠它的脚悬吊在蛹壳之下。它的皱褶在伸展，那酷似花瓣、鲜嫩欲滴的大黑翅膀也伸展开来。

"要飞啦！"

晴明说着，只见蝴蝶晃一下身子，像要扇动翅膀，但随即悠然升空。

黑色的凤蝶在夜空中轻盈地飞舞，在屋檐下嬉戏一番之后，忽然展翅飞起，隐没在夜色之中。博雅瞠目结舌地望着蝴蝶隐身的夜空，好一会儿才回过神来，看向晴明。

"哎呀，妙极了。妙极啦，晴明。"博雅兴奋地说。

"这次感觉怎么样？"

"晴明，刚才我看到的是梦，还是现实？"

"梦也好，现实也罢，说是哪一种都行。"

"你怎么弄的呢？"

"就像你看见的那样嘛。我干了什么，你不是全都亲眼看见、亲耳听到了吗？"

晴明来了酒兴，举杯畅饮。

博雅用泄气的腔调说：

"看是看了，可不明白的地方还是不明白嘛。"

"不明白反倒有好处呢。"

"跟那好处相比，我倒想知道到底是怎么回事。"

"所以说嘛，那是在你的内心世界发生的事情。"

"内心世界？"

"嗯。"

"就是说，那些事实际上并没有发生过？"

"博雅啊，一件事是发生了还是没有发生，其实取决于我怎样解释，或者说，取决于你内心的感受嘛。"

"哦……"

"如果你内心的感受是发生过，那不是挺好吗？"

"不好。"

"不好吗？"

"不好——"博雅刚刚说完，又笑起来，"哈哈，我明白啦！"

"你明白什么了？"

"那是你干的。"

"我？"

"对啦。实际上并没有青虫化蝶、飞走这回事，是你让我这么想的，对吧？"

晴明只是笑笑，算是回应。

"总是你又下了什么咒吧？"

"唔……"

"不如回到我遇见的那个老翁的事情上吧。"

"没错。"

"他说了，今天晚上要过来。"

"今晚吗？这么说，是明早以前吧。说来离天亮还有时间，大概不要紧吧。"

"且不管要不要紧。晴明,那老翁要来干什么？他是来干坏事吗？"

"咳,总会有办法的。今天晚上出去,还能赶得上。"

"你说'赶得上',是赶什么？"

"就是老翁说的,要带来装入竹筒牢房的东西呀。"

"你等一下,晴明,我还完全摸不着头脑呢。"

"好吧,我边走边解释。"

"解释什么？"

"这件事情的来龙去脉。"

"还有什么来历吗？"

"有不浅的来历呢。一下子说不完。我也对京城眼下发生的怪事颇为留意。还有人缠着我,哭求解决问题呢。"

"哦？"

"我也在猜测,大概怪事的原因是这样吧。现在堀川的老翁传话给我,我就明白了。走吧,博雅。"

"走？去哪儿？"

"五条堀川呀。"

"堀川？"

"从前三善清行大人的住处,现在仍在吧。"

"跟它有什么关系？"

"有关要毁掉它的说法,你听说了吧？"

"是堀川边上那所怪屋吗？"

"正是。"

"那倒是知道。圣上得到它以后,打算让一位身份高贵的妃子住在那里。"

"因为妃子的父亲死了,于是不久前,他开始抄写佛经。为了得到那女子的芳心,他还挺来劲的呢。"

"晴明，你说的'他'，莫非是圣上？"

"没错。"

"咳，晴明，之前我已说过，你不要在别人面前说圣上是'他'。"

仿佛听不见博雅的话似的，晴明抖一下白色的狩衣，站起身来。

"走吧，博雅。"

"这是去五条堀川吗？"

"对。"

"事出突然，还……"

"你不去吗？"

"去，我去。"

博雅也站了起来。

四

"那所房子嘛，原先是妖怪的居所。"

晴明在牛车里开了腔。

博雅也在牛车里，与晴明相对而坐。

拉牛车的是一头黑牛。牛是黑色的，这一点并不足为奇，令人不可思议的是，没有人指挥牛怎么走，可牛却忠实地朝着目的地步步迈进。

不过，这么点事情博雅早已见怪不怪了。

当年，身为宰相的三善清行买下那所房子，是延喜十年的事。

当晴明说到这里时，博雅感叹起来：

"哦，那是我们出生之前的事啦。"随即又补充道："对吧，晴明？那时连你也没有出生吧？"

晴明不置可否地笑笑，说道：

"总而言之，是从那时起就有的一所旧房子。"

那房子的庭院里长着有灵怪附体似的经岁老松，以及枫树、樱树、常青树，庭石上长满厚厚的青苔。

房子如此残旧，已难辨始建的时日。隔扇破旧不堪，木地板已有一部分塌掉了。只是作为房子骨架的梁柱是不计成本建的，使用了成人也不能合抱的巨木。若在原来的骨架上加以修建，住人不成问题。

只不过，出了妖怪。

每逢出现买主，这妖怪便出来恫吓，吓退买主使房子空置。到如今，谁是原先的拥有者已无从查考。

"这所房子，是清行大人买下的。"晴明说道。

"妖怪呢？"

"出现啦。虽然出现了，但这位清行大人是个颇有胆识的人，竟然独自一人将那妖怪赶走了。"

"他怎么赶的？"

"清行理直气壮地说：'妖怪，你不是房子的正当主人，你们留在这所房子是不对的。马上出去！'"

"妖怪就这样离开了？"

"对呀，乖乖地走了。"

于是，清行便住在这所房子里。他去世以后，由儿子净藏大德继承了这所房子。这件事在《今昔物语集》中也有记载。

大德也去世之后，房子现属于清行的孙子。据说清行的孙子并没有在那里居住，房子又已空置多时。他声称，圣上已经买下了那块地。

"然而，自从圣上买下之后，之前一直销声匿迹的妖怪再次出现了，闹个不休。不仅如此，近来轰动京城的怪事，似乎也多与这所房子有关。"晴明说。

"那个箭射发光物体，因而发烧卧床不起的武士，也与它有关？"

"是的。"

"莫非那五岁小孩子被孤零零扔在庭院的草丛中哭的事，也……"

"就发生在那所房子的庭院里。"

"噢……"

"房子里还有种种怪事呢。就在昨天你出门期间，那边的人过来恳求，说无论如何也要想个办法。"

"那，堀川的老人是怎么回事？"

"他嘛……"

就在晴明要说出来时，牛车停了。

"抱歉了，博雅，稍后再谈吧。我们好像已经到五条堀川了。"

五

五条堀川——在五条大道和堀川小路相交的路口一角，正好就是那所院子。

走过满眼苍翠却荒废已久的庭院，晴明和博雅进了屋子。

在满是灰尘的屋子里，晴明熟门熟路地穿行。

晴明手拿卷起的薄席子，博雅举着点燃的火把。

如果没有博雅手上的火把照着，四周就是一片漆黑。

不大工夫，来到了像是寝殿的地方。这是铺木板的房间，有六根柱子。

在其中一根柱子下，晴明把带来的薄席子一铺，坐了下来。

用火把点燃事前准备好的灯盏，这照明的灯盏就放在木地板上。

在轻松的气氛下，晴明从怀里掏出一个小酒瓶和两个杯子，放在地板上。

"连这些也带来了啊？"博雅说道。

"接着刚才喝酒。我觉得要是没有这个，你会感到冷清。"

"别往我身上推呀，晴明。"

"怎么啦，不喝吗？"

"我没说不喝。"

"那就行，喝！"

晴明递过酒瓶，博雅"唔，唔"地应着，慢吞吞地伸手拿酒杯。

"干吧。"

"干。"

二人在灯火之下又欢饮起来，一杯接着一杯……

夜更深了。这时候——

"咦?！"博雅竖起耳朵。好像有什么声音传了过来。

是人声吗？好像是有两个人在打斗。

不，不是一对一的打斗。是更多的人在混战。有种战场厮杀似的声音。

"哎哟！"

"哇——！"

"嗨！"

刀与刀互相砍击的声音。器械撞击的声音。

"哈，来啦！"

晴明瞥一眼黑暗中的一个角落，心情舒畅地喝干了杯中酒。

博雅向晴明视线的方向望去，只见从黑暗中出现了一群战斗装束的人，乱哄哄的。他们约一尺高，正在争斗不休。

"嘿！"刀光一闪，被砍掉的头颅滚落在地，鲜血喷涌。

但是，头颅虽已坠地，却仍发出"呀!""嗷!"之类的喊叫，而没有了头的躯体，仍旧持刀与砍掉自己头颅的对手缠斗。

不大一会儿，他们停止互砍，围住了晴明和博雅。

"咦?"

"哎呀！"

"这种地方还有人呢。"

"有人来啦！"

"是真的啊。"

"怎么办？"

"怎么办才好呢？"

"砍掉他们的头吗？"

"割断他们的喉咙吗？"

有头武士也好，无头武士也好，都握着寒光闪闪的刀逼近过来。

"晴明！"博雅手按在腰间的刀柄上，单膝曲起，就要站起来，晴明把他按住了。

"等一下，博雅。"

晴明伸手入怀，取出小纸片，再拿起一把小刀，开始裁切纸片。

"干什么？"

"他这是要干什么？"

就在武士们发出猜疑的声音时，晴明对着那张剪切成狗的形状的纸片，"噗"地吹了一口气。

纸片落地的同时，变成了一条恶犬，对着武士们狂吠起来。

"哇！"

"是狗啊！"

"狗啊！"

武士们被狗追逐着，乱哄哄地逃进黑暗中。安静又回来了。

晴明用手去捏返回膝下的狗，那狗随之变回了纸片。

"紧接着又来啦。"

晴明话音未落，传来了木头摩擦的声响。

二人对面的墙壁上，有个像仓库那样的抹着厚泥的门。那扇门"嘎嘎"响着，打开了三尺许，里面出现一个坐姿的女子，身穿褐色衣，膝行而前。浓郁的麝香气味飘了过来。

女子用扇子遮掩住鼻子以下的部位，只能看见她的眼睛。顾盼含情的眼神惹人心动。她用一双丹凤眼斜瞟着晴明和博雅，膝行过来。晴明心情愉快地望着她。他估算着那女子已离得足够近了，便说一声：

"嘿，要喝吗？"

他提起空酒瓶，冷不防朝那女子掷去。

女子本能地松开了手中的扇子，双手去接那飞过来的酒瓶。

扇子落在地上，女子一直遮掩的眼睛以下的部位暴露无遗。

"啊！"博雅不禁惊呼一声。

女子的鼻子像狗一样尖尖地向前突出，嘴里长牙外露。她"哧！"地张嘴要来咬晴明。

说时迟，那时快，晴明伸出右掌，掌心里是那张剪成狗形的纸片。纸片在掌心里变成了狗，对着女子吠叫起来。

"哎呀！"一声惊叫，那女子变作四脚趴地，迅速逃回那扇抹着厚泥的门里面，消失了。

在再次静默下来的黑暗之中，晴明扬声道：

"出来吧。不出来的话，我可要放出真正的狗啦！"

不一会儿，两只巴掌大的小狐狸从黑暗中畏畏缩缩地出现了。

"晴明，这是什么？"

"竹管嘛。"

"什么管？"

"管狐啊。"

管狐，是修道的人或方士所控制的有妖力的小狐狸。因收入竹管带在身边，故有"管狐"之称。被管狐附体，人会得病，有时甚至会死亡。

"哎呀，惭愧惭愧，晴明……"

突然传来一个声音，种瓜的老翁在黑暗中现身了。他两只手提着两根竹管。

"咳，你们实在不是这位大人的对手啊。想全身而退的话，就回到这里边去吧！"

老翁边说边打开竹筒口，两只管狐跳上老翁的脚面，自膝部攀上身，顺着胳膊钻进竹筒，看不见了。

"哎，晴明，幸亏你出手，事情一下子就解决了。要是我来的话，这些家伙马上就会逃之夭夭，还是没有办法了结。"

老翁将竹筒收入怀中，在晴明和博雅的对面坐下。

"久违了。"

"自从跟贺茂忠行大人一起见过面之后，这还是第一次相见吧。"

"是的。"

"事隔二十年啦。"

"您让博雅传的话中提到竹筒，我就猜到对手是两只管狐。还好，事情很轻松就办成了。"

博雅接着晴明的话问道："晴明，这位老人家是……"

"原先居住在此的人呀。"晴明说道。

"很久以前，我还没有弄明白情况就和管狐在这里住下了。因为嫌麻烦，若有人来，就派管狐去驱赶他们。有一次，是三善清行大人来了，怎么恐吓他，他都不走。反而被他据理斥责。唉，他真是个了不起的人。"

晴明向博雅介绍这位一脸遗憾的老翁："他是我的师父贺茂忠行大人的朋友，方士丹虫大人。那时候见过……"

"离开这所房子之后，我在大和那边生活。"

晴明转向老翁——丹虫说道："既是这样，为什么现在……"

"嘿，这些家伙在药师寺，从博雅大人的随从那里听说这所房子要毁掉的传言，于是附在博雅大人的车上，进了京城。然后，便依附于这所原来住过的房子，又干起了从前的坏事。我也是从博雅大人随从的对话中，才得知我的管狐在京城里作恶多端。所以，我也依附在博雅大人的牛车上，进了京城……"

"原来如此。"

晴明点点头，从怀里掏出一个新的酒瓶。

"那么，在房子毁掉之前，我们就在这所令人留恋的房子里，喝个通宵吧。"

"哈，好啊。"

丹虫愉快地回答。晴明举起双手，"啪啪"地击掌数下。

"来了……"

随着一声答应，一个身着唐衣、不知从何处而来的年轻女子现了身。

"让这位蜜虫姑娘斟酒吧。"

晴明刚说完，被称为"蜜虫"的女子跪在三人旁边，捧着酒瓶，向丹虫劝酒："请来一杯。"

"噢。"丹虫点点头，接过酒。酒宴开始了。

"喂，喂，来吧，都来吧——"

丹虫拍着巴掌喊道。那些战斗装束的人都现了身，开始手舞足蹈地跳起舞来。

一直喝到将近黎明，东方的天空已经露出鱼肚白，丹虫说道：

"二位，我该走啦。"

他站起身来。拂晓的光亮正布满天空，此时蜜虫也好，战斗装束的人也好，都已不见踪影。

"好，后会有期。"

晴明这么一说，丹虫应道："好，我们再找地方接着喝酒。"

说着转身迈步，走了几步，他回头说道：

"谢礼已经托人转交了。"

"是那个瓜吧？"

"对。"

他转过身，举起一只手挥一挥，消失在屋外。

晴明和博雅返回晴明的家中，剖开瓜一看，里面掉出两个漂亮的玉杯。

铁圈

一

寒衣与日增
情意与日浓

一位女子在赶路。

素白装束。独自一人。这个全身素白的女子踽踽独行。

她赤着脚,独自走在深夜的树林里。

桂树、七叶树、杉树和扁柏等老树仿佛有意挤堆似的生长着。大树下杂草丛生,羊齿和青苔覆盖在岩石上。

女子轻柔白净的赤脚踏过青苔、杂草、岩石、树根和泥土。她的赤脚、胳膊、颈子、脸颊比身上的衣物还要白,在夜幕中飘摇。

从头顶遮遮挡挡的树梢之间,月光泻下,仿佛青幽的鬼火,在女子的头发、肩头和后背上晃动。

无奈陷情关

终生误托人

朝暮泪沾巾

但求开心颜

此生诚无奈

做鬼雪此恨

寄望贵船官

心焦匆匆行

女子头发蓬乱，披散在脸庞和脖子上。不知她在想什么，目光注视着远方。赤脚的指甲裂开了，鲜血渗了出来。

赶夜路的恐惧、脚上的痛楚，女子浑然不觉。

可以让她感觉不到恐惧的，是更大的恐惧；可以让她感觉不到痛楚的，必是更大的痛楚。

熟路所向处

御菩萨之池

女子要赶往贵船神社。

位于京城北面鞍马山西麓的古老神社，就是贵船神社。祭祀高龙神和暗龙神，都是水神。据说一求可得雨，再求可使雨止。

传说伊奘诺①命以十拳剑斩落迦具土神之首时，剑尖所滴的血从指缝之间漏出，生成此二神。

据神社的社史所载，祭神除此之外，还有冈象女神、国常立神、玉依姬，以及天神七代地神五代，即地主神。

---

① 男神伊奘诺与女神伊奘冉是夫妻，也是日本传说中的国土创造神。

高龙神和暗龙神用的是"靇"字，即"龙神"。

高龙神的"高"，指山岭；而暗龙神的"暗"，指山谷。

社史上说："为稳定国家、守护万民，于太古之丑年丑月丑日丑时，自天而降至贵船山中之镜岩。"

女子走在昏暗的山谷小路上。很快就是丑时了。

　　此身如躯壳

　　蓬蒿深处行

　　市原郊露重

　　夜深鞍马山

　　过桥无多路

　　贵船在眼前

女子的红唇衔着一枚钉子。

她左手握着用墨写了某人姓名的偶人，右手握着锤子。

来到神社的入口处，女子停下脚步。因为门口站着一个男人。从装束来看，他应是神社里的人。

"请！"这男人向女子说话。

"噗！"女子将嘴里的钉子吐在握着偶人的手中。

"有什么事？"

女子柔声细气地开口了，与此同时，将握着偶人和锤子的手收进了袖子里。

"我昨晚做了一个不可思议的梦。"

"梦？"

"梦中出现了两尊巨大的龙神。据龙神说，今夜此时此刻至丑时之间，有一位白衣女子会从下面走上来。龙神要我对那女子说下面这些话——"

"什么话？"

"汝今夜作最后之祈愿，必蒙应允……"

"噢……"女子的唇微微吊起。

"汝身着红衣，脸面涂丹，头戴铁圈，在其三足点灯，加以盛怒之心，即可成鬼。"

男子话音未落，女子嘴角两端抽起，露出白牙。

"好极了！好极了！"她满意地笑起来。

> 心诚得所愿
>
> 气息已改变
>
> 亭亭好女子
>
> 怒发指向天
>
> 怨恨化厉鬼
>
> 情债终须还

女子目露青光，蓬乱的黑发倒竖，指向天空，变成了鬼的模样。

二

"情况就是这样，晴明。"源博雅对安倍晴明说道。

此时，他们在位于土御门大路的晴明家的外廊内。

博雅在外廊的木地板上盘腿而坐，晴明就在他的对面，背靠着廊柱，支着一条腿。

二人之间放着一个装酒的瓶子，两只玉杯。

正是下午。

离黄昏尚早。阳光斜照庭院，落在繁茂的夏草丛中。

绣线菊的红花在风中摇摆，一旁是性急的黄花龙芽，已蓄势待放。

无数小飞虫和飞虻，在草丛上的阳光里飞舞。

这里给人完全不加修整的印象，仿佛山野的一景被原封不动地搬到了庭院里，但东一丛西一簇生机勃勃的野草，也隐隐让人感觉晴明的意志体现在其中。

"你说那是昨晚的事，对吧？"

晴明一边伸出手去取外廊地板上的酒杯，一边说道。

"对。"博雅点点头，望着晴明，欲言又止。

"那么，发生了什么为难之事吗，博雅？"

"没错。"

"你说说看。"

"那位在贵船宫里做事的男子名叫清介，他有点害怕，所以只把事情跟那女人交代了，便立即回去睡觉。"

但是，他越是想睡越睡不着，圆睁两眼，一点睡意也没有。

那女人的事情挥之不去。她究竟是什么来历呢？自那次以后，她怎么样了？说起来，她为什么三更半夜到这种地方来？

丑时，以现在的时间而言，是凌晨两点。

这样一个时刻，天天不落地从京城往这里赶。这女人的执着劲头，实在令人不寒而栗。

"哈哈！"晴明饶有兴趣地笑起来，"是叫清介吧？那家伙撒谎呢。"

"真是厉害呀，晴明，你说得没错。"

"那么……"

"也就是说，清介原本知道有个女子每晚丑时前来。她这么频繁地来挺烦人的，于是和同伴商量，撒谎说两位神出现在他的梦中了。"

女子恨着某人，必欲置之死地而后快。为此，她希望变成厉鬼，所以每夜前来贵船神社。这是显而易见的。

但是，她夜夜前来，一方面神社不胜其烦，另一方面若其愿望实现，真的变鬼，又是贵船神社的神灵玉成其事，这消息若传开了，夜夜丑时来参拜神社的人势必大增，神社具邪恶之力的说法必甚嚣尘上。

对于贵船神社而言，不希望见到这种事发生。

"那，用铁圈吗？"

"对。"

所谓铁圈，是用锅烧火时要用的铁台子。也就是火支子，或叫作火撑子，是三条腿的。若把它翻转，让它脚朝上的话，那三条腿看上去就像是三只脚。

在三条腿上点起灯，把脸涂红，穿上红衣，真可谓鬼模鬼样。真的能变鬼倒好说，如果肉身之人干这种事，只不过是一场闹剧而已。

"大家是要看那女人的笑话吧。"

"正是这样。"

"但是，跟那女人说过之后，反而后怕起来了……"

"没错。"博雅抬抬下巴，点点头。

清介躺下之后，那女子欣喜若狂的笑容在他的脑海里盘旋。

那是多么令人生畏的笑容啊。说不准，那女子还真的能变成厉鬼呢。

再往深处想一下，的确有问题。自己怎么会为了撒这么一个谎，特地在半夜三更等待那女人呢？说不定众人想出来的结果，正是贵船的祭神高龙神和暗龙神教唆所致？否则，为什么连把三脚铁圈戴在头上这样的主意也想到了？

一旦胡思乱想，就再也睡不着了。

等到天亮，清介走入神社后面的杉树林中。

杉林深处有棵经年的老杉，树干齐胸高处钉着一个偶人——正是昨夜那女子手中的偶人，用五寸铁钉钉在这里。铁钉贯穿偶人的头部，插入树干。

偶人的胸口，用墨写着一个名字——藤原为良。

这名字很熟悉，应该是住在二条大道东头，挨着神泉苑地方的一位公卿。

如果因为某种机缘，那女子真的变成了鬼的话……

这种结果说不准也有可能。就那位女子而言，说她必定会变厉鬼，并非不可思议。

不知道她身上曾经发生过什么事，既然她怨恨藤原为良，是她动了杀机，与神社并无关系。但是，如果因为自己所说的话，女子得以变鬼——不，就算她虽然没有变成鬼，却以为自己已经变作鬼，竟然去杀人的话……

"哎，晴明，这清介据说竟然前往位于二条大道的藤原为良家。去了一看，他吓了一大跳。藤原为良昨夜里竟然病倒了，直喊头痛……"

清介回想起那颗长钉钉入之处，正是偶人的头部，就更加害怕了。

清介面见藤原为良，将昨晚之事和盘托出。

"藤原听了这话，害怕得不得了。"

因为他记得是怎么回事。

藤原为良有过一个女人。她名叫德子，但已不知她现居何处。于是——

"藤原为良就来哭求我啦。"博雅说道。

"并非求你，而是求我吧？"晴明说道。

"没错。说是要借晴明大人的力，设法予以解决。"

"真是很没劲啊。"

"为什么？"

"因为这是男女之间的事嘛。移情别恋也好，被别的女人情杀也好，局外人都没有必要介入吧？"

"记不清是什么时候了，我曾经向为良大人借用来自大唐的笛子，吹奏过……"

"哦。"

"为良大人只让我在他家里吹。因为笛子太好了，一借就吹了七天七夜。每到夜晚，一边在堀川河一带漫步，一边吹笛。"

"哦。"

"有一天晚上，一位美丽的女人悄悄来听笛子。"

"女人？"

"对。堀川河边停了一辆女用牛车。吹罢笛子，有她的随从之人来叫我。"

据说当博雅走近车子的时候，车里面的人向他打招呼。

"夜夜为这笛声吸引，心想，是什么人在吹奏呢？就径直来到这里了。我不会说出我的名字，也不问您的名字。不过，今天晚上的笛声，我一辈子也忘不了。"

车里的人说完这番话，牛车便离去了。

"哎，你没有看见那位女子的脸吗？"

"没有。她在车里，我们是隔着帘子说话的。"

"那就是没有看见。"

"是的。"

"博雅，你刚才不是说'美丽的女人'吗？"

"不，我只是认定她是个美丽的女人。"

"什么嘛。"

"总而言之，因为为良大人的笛子，曾发生过那样的事……"

"不过……"

"对于处于同样境况的圣上，你不也曾出手相助吗？"

"他是另当别论的。因为他要是死掉，什么麻烦的仪式之类的，得忙个不亦乐乎吧。"

"嘿！晴明，我以前跟你说过的，不可把圣上称为'他'。"

"别发火嘛，博雅。而且，因为当时圣上的对手已经是个死者。"

"这次不是死者，那么……"

"没错，如果保住为良大人的性命，女方便性命堪虞了。"

"为什么？"

"女方是个企图变成鬼的人。如果活着不能达成愿望，可能不惜一死呢。那样的话，情况就更加严重了。对我来说，为良大人的性命也好，德子小姐的性命也好，都是一样的性命，并没有什么区别。"

"心性一旦迷失，就很难回头了。虽然可悲，但能否让德子小姐明白这道理？"

"不可能。"

"不可能吗？"

"这一点她应该是明白的吧。数日、数十日、数个月，每日每夜，她一定也曾试着用这样的理由来说服自己。但还是心意难平。正因为心意难平才要变鬼吧。"

"噢……"

"而且，博雅，如果这件事是出于误会，那么解除误会即可。但是，事情并非如此。"

"结果会怎样？"

"无法挽救。因为鬼已进入了她的心里。要消除那只鬼，最终恐怕必须消除她本人才行。所以，我没有办法。"

"你也做不到吗？"

"如果仅仅是利害得失的问题，晓之以理当可解决问题。若是为人妄执，多下功夫也就可以了。但现在她的心愿事关为良大人的生死啊。"

"是这样啊……"

"你别垂头丧气，好不好？"

"嗯。"

"总而言之，走一趟吧。熬过今天晚上，总应该是可以的吧。"

"你肯去了？"

"嗯。"

"不过，今天晚上……"

"你先派人赶往为良大人的家，让他预备大量的白茅。"

"白茅？"

白茅，也就是稻秸。

"以偶人对付偶人嘛。用白茅做成为良大人的偶人，让德子小姐以为真的是为良大人。这些都预备好就行了。不过，博雅，要是这样能解决问题就好了。"

"哦。"

"动身吧。"

"好。"

"走吧。"

"走。"

事情就这样定下来了。

三

博雅在黑暗中屏息以待。黑暗被他徐徐吸入，又徐徐呼出。

在这样的循环往复中，偶尔会深深吸入一口气，仿佛呼吸变得困难起来。

这是在藤原为良家，在他的房间里。

稻秸做成的偶人背靠房间后壁而坐。偶人腹部贴了一张白纸，有墨写的字——藤原为良。

在正对面，即偶人为良所靠壁板对面的房间里，是为良本人。

为良一身素白，正在低声念咒。白衣上有晴明写的咒语。

"谨上再拜：开天辟地以来，伊弉诺伊弉冉尊作天之磐座，因男女之交合，成夫妇之盟誓，使阴阳之道绵延，而遭魍魉鬼神妨碍，要取非业之命。为此惊动大小神祇、诸佛菩萨、明王部天童部、九曜七星、二十八宿……"

低沉平静的声音从邻室传来。

稻秸偶人前面，有三层的高坛，上面树立着青、黄、红、白、黑五色币帛。只有木地板上的一个灯盏亮着灯火。

房间一角立起屏风，博雅和晴明藏身屏风背后。

"哎，晴明，真的会来吗？"博雅压低声音对晴明耳语。

"到了丑时就知道了。"

"还差多久？"

"不到半个时辰了。"

"可是，用那个稻秸偶人就能瞒过她吗？"

"里面还放了为良大人的头发、指甲，以及涂了大人鲜血的布。"

"这样就行了吗？"

"为良大人本人在邻室，家中的仆人都不在场。德子小姐不会迷路，能准时到来吧。"

"我们该做什么呢？"

"德子小姐看不见我们。因为我在屏风周围已布下结界。"

"哦。"

"不过，如果德子小姐来了，在我说'好了'之前，决不能说话。"

"明白了。"博雅点点头，又开始呼吸黑暗了。

一会儿，约过了半个时辰，有动静了。

嘎吱嘎吱……

是沉重的东西走在外廊上，压弯了木板，木板间因摩擦发出声响。

不可能是猫，也不可能是狗或者老鼠之类的东西。人的重量才可能让木地板发出这样的嘎吱声。

嘎吱嘎吱……嘎吱嘎吱……

声音越来越近。灯火向外廊的一边晃动。

那人影慢慢挪进房间。是个女子——

一个长发蓬乱、发梢冲天的女子。她脸上涂着红丹，身上穿着红衣，头戴铁环，环上的三只脚都绑上了燃烧的蜡烛。

烛焰让女子的脸庞在黑暗中浮现出来。那是一张凄厉的脸。

女子进屋，站定了，脸上呈现出欣喜的笑容。她露出惨白的牙齿，双唇向左右两边吊起，嘴唇扯开道道裂口，血珠滴滴渗出。

看见稻秸偶人，她快步上前。

"太好了，坐在那里呀。"

博雅"咕咚"咽下一口唾沫。

女子左手捏着五寸的铁钉，右手握着锤子。

"唉，爱憎难辨啊。难得一见这身影了……"

女子的头发竖得更高，仿佛显示着她此刻的心潮澎湃。倒竖的头发触及铁圈脚上的烛焰，烧得吱吱作响，出现一朵小小的蓝色火焰。房间里充满了烧焦头发的味道。

突然，女子扑上前搂住稻秸偶人。

"您的唇，已经不要再吻我了吗？"

女子将自己的双唇贴在偶人脸上相当于唇的位置狂吻，然后用洁白的牙齿嘎吱嘎吱地啃咬起来。

她离开偶人，撩开前面的衣服，叉开双腿，说：

"难道您已经不爱我了吗？"

她弯下身体，双手着地，像狗一样爬近偶人，用牙齿嘎吱嘎吱地啃咬偶人股间的稻秸。

然后她站起来，舞蹈般地扭动身体。牙齿咯咯地撕咬着，头发也摇晃起来，吱吱地烧着了。

可恨定交时

情深误终生

无情遭抛弃

此恨绵绵期

"恋慕你的是我，并不是因为谁的命令。虽然你已经变心，但我心意不改……"

女子流着泪诉说着：

"虽然我很明白，不知道您会有二心，因而造成误定终生的悔恨，全是自己的过错……"

　　　无情遭抛弃

　　　无情遭抛弃

"无时不念想啊，一想就难过。一想就难过……"

　　　一念思悠悠

　　　再念恨悠悠

"也难怪我固执己见，变成鬼也在情理之中……"

　　　痛不欲生矣

"哎呀呀，命不久矣……"

　　　新欢发在手

　　　锤下五寸钉

　　　幻真幻假世

　　　从此不相关

"叫你知道我的厉害！"

女子厉声喊着，像蜘蛛一样扑向稻秸偶人，将铁钉抵在偶人额上，右手的锤子猛砸下去。

"嚓！"

铁钉一下子就深深地插入偶人的额头。

"我叫你知道厉害！"

"我叫你知道厉害！"

她喊叫着，狂乱地砸下锤子。头发摇晃着，挨到了铁圈的火，哧
哧地冒着蓝白色的火焰。

"啊——"博雅不由自主地发出低低的惊叹声。

女子的动作忽然停止了。

"有人在吗？"是正常人的说话声。女子的话声里没有了凄厉的
成分。她扫视四周，目光停在偶人上面。

"咦……"她发出惊讶之声，"这不是为良大人，只是个稻草人啊！"
说完，微微摇头。

博雅和晴明从屏风后现身出来。

"哦，是你们……"女子望望二人，然后看看三层高坛和五色币帛，
问道，"你是阴阳师吗？"

"是的。"晴明点头。

"博雅大人！"女子看见他身后的博雅，惊叫出声，"您看见了？
您看见刚才我的样子了？看见我那堕落的样子了？"

女子如梦方醒似的看着自己的模样：衣裾零乱，连大腿都暴露无
遗。涂成红色的脸，套在头上的铁圈……

"唉，真是丢人啊，我这副可怜相……"

女子抛开锤子，把铁圈从头上脱下扔掉。铁圈发出沉重的声响，
掉在木地板上。两支烛火灭了，还有一支在燃烧。

"哦，哦，实在是……实在是……"

她双手掩面，左右甩着头。缠着脖颈的长发甩开了，随即又甩回来。
头发里出现了异样的东西，是两个像瘤子的东西。

是角。鹿生角时，初生的角有柔软如袋的皮囊包裹着。两根袋角似的东西从女子的头部长出，撑裂了头部的皮肉，长大起来。

袋角迅速增大，似乎听得见它变大的噼啪声。鲜血从头发里流到额头上。

"唉，真可惜啊……"

她掩盖着脸部的双手放下来了。那张脸——

眼角开裂，鲜血从裂口流出，眼球凸起，鼻子瘪塌下去，牙齿拱出，穿破了嘴唇。嘴唇淌着血，流在下巴上。

"博雅，她是在'生成'。"晴明说。

"生成"——因妒忌发疯的女子变成鬼，即般若。所谓"生成"，是指女子即将变成鬼之前的阶段。是人又非人，是鬼又非鬼。女子此时处于这样的"生成"之中。

"可惜啊，好可惜！"

处于"生成"的她叫喊着，一跺脚冲出屋子。

"晴明！"

博雅大叫一声，跟着追出去，但那女子已经不知所踪。

"那女子知道我的名字……"

博雅冒出一句话，马上若有所悟。

"啊，我说那声音似曾相识呢，正是在堀川河边遇到的牛车里的声音啊。这么说，原来德子小姐就是当时那个人……"

博雅怔住了，呆立在那里。他求助的目光望着晴明。

"哎呀，晴明，我这是干了什么啊。你让我干了什么事啊。侮辱了人家，还把人家真的变成了鬼……"

四

牛车四平八稳地走着。

车子碾着石头时，"嘎吱"的声音传入车厢里。

还要有一段时间，东方的天空才会泛白。

拉牛车的是大黑牛。牛前方的空中，有白色的东西在飞舞。是像蝴蝶的东西。但如果说是蝴蝶，就有点奇怪。它只有半边翅膀，只有左半边的两片，没有右侧的两片翼翅。尽管如此，那蝴蝶不知何故照样在空中翩翩起舞。

好像是凤蝶。

凤蝶为何在夜里起舞？

在夜里飞的，该是蛾子，但此时飞在牛前方的，是那种在阳光下飞舞的凤蝶。

牛跟在凤蝶后面前行。看来这只凤蝶是晴明放出的式神。

牛车内，博雅一直不说话，近乎沉默。有时晴明向他搭话，他也只是简短地回答。

现在晴明也不说话了，任由博雅沉默无言。

"哎，晴明，跟你说的完全一样啊……"

忽然，博雅开口说道。声音很是沉痛。

"你指什么？"

"就是德子小姐的事。要保住一方的话，另一方就得放弃。我算是明白了。"

博雅显得无精打采。

"比如说吧，晴明，这里有一只狐狸要吃掉一只兔子。"

"哦。"

"如果人怜悯兔子，救下了它，狐狸就会因为没有食物饿死……"

"嗯。"晴明只是轻轻点点头。就像刚才任由博雅沉默一样，此刻他似乎又任由博雅去说。

"我现在想，这件事可能不去管它为好。那副模样被人看见，要是我的话……"

"如果是你会怎么样？"

"可能没脸活下去。"

"……"

"贵船明神告知的事，说不准是真的啊。"

"也许吧。"

"因为最终德子小姐变成了鬼，虽说是在'生成'的阶段。"

"这是她本人的期待。"

"不对，无论曾多么期待变成鬼，但在德子小姐内心深处，应该是只要有可能，就不想变成鬼的。"

"博雅呀，不仅是德子小姐，任何人都会有变成鬼的念头啊。人，不管是谁，心里头都藏着这么个鬼。"

"我心里也藏了？"

"对。"

"你心里也藏了？"

"没错。"

晴明这么一说，博雅便又沉默下来。

"真是可悲呀。"过了一会儿，博雅叹息道，"晴明，这贵船的神灵，怎么会用邪恶的力量将人变成鬼呢？"

"不不，这里有所不同，博雅。人是自己变鬼的——希望做鬼的是人嘛。高龙神也好，暗龙神也好，只不过是为她稍微助力而已。"

"可是……"

"博雅，我来问你，神是什么？"

"神？"

"所谓神，归根结底终究是力。"

"力？"

"也就是说，以高龙神和暗龙神之名向那种力施咒的，就是神嘛。"

"……"

"据说贵船神社是水神呢。"

"嗯。"

"那些水是善还是恶？"

"唔……"

"为田地带来雨水时，水是善的。"

"噢。"

"但是，当雨下个不停，变成水灾时，水就是恶的。"

"噢。"

"但是，水原本只是单纯的水，使之成为善的或者恶的，只是因为人把事物分成了善的和恶的。"

"噢。"

"贵船的神之所以兼司祈雨和止雨二职，就是这个原因。"

"噢。"

"鬼也是一样的。"

"是由于'鬼由心生'的缘故吧。"

"对。"

"你说的话我还是挺明白的，晴明……"

"博雅，说不准是有鬼才有人呢。"

"……"

"正因为鬼在人心里，所以人才要吟诗、弹琵琶、吹笛子。如果没有了鬼，恐怕人世间就会变得无聊乏味吧。而且……"

"而且什么……"

"而且，如果没有了鬼，我安倍晴明也就不存在了。"

"你？"

"失业了嘛。"

"但是，人和鬼，是不能一分为二的吧。"

"正是。"

"那么，只要还有人，你就不会失业啦，晴明。"

"是这么回事吧。"

晴明喃喃道，他轻轻掀起前面的帘子，望望外面。

"照这个飞法，马上就要到了。"

"飞法？"

"蝴蝶呀。我把那蝴蝶的半边留在德子小姐的肩头了。现在这半边在追赶那半边。"

晴明放下帘子，望着博雅。

"对不起，晴明……"

"什么事？"

"要你多方开导。"

"怎么忽然说这个？"

"晴明，你是个好人。"博雅说了一句晴明经常对他说的话。

"傻瓜。"晴明苦笑一下。

不久，牛车停了下来。

五

西京——

这是一所建在杂树林里的破旧房子。四角支起柱子，钉上木板就算墙壁。屋顶铺上草，就成了家。

夜露凝在屋顶的草上，也凝在屋子周围的草上，每一颗露珠都小小的、青青的，映着月光。

在房子的入口处，半边翅膀的白色凤蝶正在翩翩起舞。

晴明下了牛车，说道："是这里吧。"

"怎么会在这么残破的房子里……"

博雅仅此半句，就没有话了。他的右手握着燃烧的火把。

"喂……"晴明喊门，"里面有人吗？"

没有回答。情况不明——

这是人们进入最深沉睡眠的时间。

月已西斜，再过不到半个时辰，东方的天空就要泛白了吧。

黑暗里飘过来一股血腥味。

"晴明……"

"唔。"晴明扬扬下巴，点了点头。他从博雅手中接过火把，"走吧。"

晴明慢步穿过入口。

有土间和徒具形式的板间。①土间里有水缸和炉灶。一只锅丢在土间。

一名女子仰面倒在板间。红丹虽已卸去，身上也换成了白色的衣服，但仍旧是"生成"的模样。

她的喉部插着一把短刀，鲜血从伤口流到板间。看来她是自己把刀刺入喉咙的。

"德子小姐……"

博雅冲进板间，想要抱起她。

此时，女子忽然霎地睁开眼睛，欠起身，头一低就要咬向博雅的喉咙。

"博雅！"

晴明将手中燃烧着的火把挡在女子和博雅之间。女子咬住了燃烧的火把。

"喀！"

火花四溅，发出噼噼啪啪的声音。

晴明想抽回火把，但女子咬住不松口。她的头发吱吱地烧糊了。

一会儿，女子终于松了口，筋疲力尽地仰首倒地。

---

①日式房屋进门入口处为土地，叫"土间"。房子内其他铺地板的部分叫"板间"。

"德子小姐……"博雅将她抱起来。

"我要抓住你、吃掉你……"

女子嘴巴淌着血，喉咙发出"嘘嘘"的声响。她嘴里喃喃自语。

"吃吧。"博雅挨近女子的耳边说道，"抓住我吃吧。吃我的肉。"

"对不起，实在对不起。是我博雅让晴明去破坏你的事。是我再三恳求晴明让他来的。是我妨碍了你的事。所以吃我的肉、咬我的心吧！"

"生成"状态中的女子左右摇头。

"是我想要这样的。"

青白色的火焰伴随着她的话，从唇间断断续续冒出来。

"原先想活着变成鬼，但没有成功，反而让人看见了那副落魄的样子。我没法活下去了。我亲手把短刀插了自己的喉咙……"

"生成"中的女鬼气息微弱地说道。

"变成了这副模样还留在这里，没有消失，是怨恨还没有消失。我很快就要死了，我要变成真正的鬼，在为良身上作祟……"

女子哭着说道。

"我没有咬过那家伙的肉。但是，做不到这一点，我气不能平！"

"来我这里。死了还不能解气的话，来我这里，咬我吧！"

"我怎么能对博雅大人……"

"您知道我的名字？"

"刚才博雅大人不是说出了自己的名字吗？不过，博雅大人的大名久仰了。还有，您吹的笛子……"

"啊，在堀川的那个晚上，在牛车里面……"

"您原来也知道了。"

"听到您的声音，回想起来了。"

"那时和为良大人的关系还好。为良大人曾经借笛子给博雅大人。"

"是有过，的确……"

"为良大人说，德子啊，你想听好听的笛子，就晚上到堀川去……"

"……"

"为良大人知道博雅大人夜夜在那里吹奏笛子。"

"是的，是的。"博雅连连点头。

"那时候真快乐。真想回到那个时候，再听博雅大人吹笛子啊……"女子的眼中泪光闪闪。

"当然可以！"

博雅又挨近女子的耳边说道：

"当然可以。我博雅随时愿意为您吹笛子。"

"博雅大人，您的脸挨得太近的话，喉咙又会遭到……"

女子的牙齿咬得嘎嘎响。

"呼！"

女子回复了原先的模样。

"德子小姐，人心就是这样的啊。无论你如何痛苦、号哭，无论你如何忧心如焚、望穿双眼，人心这东西，是不会回头的呀……"

"……"

"德子小姐，我什么事都不能为您做。因为我什么也不会做。啊，我是多么无能为力、多么愚蠢的人啊。我……"

博雅流下了眼泪。

"不，不要。"

德子的头左右摇了摇。

"我明白，我都明白。可是，就算明明知道，但还有不得不变成鬼的时候啊。当人世间再也没有疗治憎恨和悲伤的法子时，就只有变鬼了。就算变成鬼，也还是无法解脱。"

"德子小姐……"

"我有事相求……我死后，当我变成鬼要咬为良的时候，我会来找博雅大人。到那时，您还可以为我吹笛子吗？"

"当然可以。无论什么时候都可以，一言为定！"

博雅说完，女子的头忽然垂了下来。

博雅胳膊里的女子身体忽然沉重起来。

六

每年都有好几次，"生成"模样的女子在夜间如约出现在博雅身边。

于是，博雅吹起笛子。

另外，每当博雅在夜间独自吹笛时，"生成"中的女子也会出现。

她总是一言不发，或者悄悄待在房间的一角，或者出现在屋外的背光暗处，静静地倾听。当博雅吹完笛子时，女鬼不知何时已悄然离去。

> 昔日殷殷语
> 听声不见人
> 伊人来无踪
> 伊人去无痕

缠鬼

一

秋。阴历十月前后。

清劲的凉风吹过外廊,源博雅坐在外廊内喝酒。

对面坐着穿白色狩衣的安倍晴明,他和博雅一样,也不时把酒杯端到唇边。

晴明微红的双唇,总是给人带笑的印象。或许他的舌尖总含着甘甜的蜜,所以才会浮现这样的笑容。

夜里,燃亮的灯盏放在一旁。可能是为了防风,外面套了一个竹子框架的纸糊的筒子。

下酒菜是烧烤的蘑菇和鱼干。

月色如水,遍洒庭院。

黑夜里,有芒草、黄花龙芽、桔梗在风中轻摇的感觉。

现在已经没有夏天那种浓烈的草味了,虽然仍有湿意,但某种干爽的气味已经溶在风里。一两只秋虫在草丛中鸣唱。

满月之夜。

"哎，晴明——"博雅放下杯子，向晴明说话。

"什么？"晴明送酒到唇边的动作中途停下，回应道。

"不知不觉间，时日真的就转换了啊……"

"你说什么？"

"季节嘛。直到前不久，还天天喊'热呀热呀'的，在晚上还要打蚊子，可现在呢，蚊子一只也看不见了。吵得那么厉害的蝉，现在也无声无息啦。"

"噢。"

"只有秋虫鸣叫了，而且，声势也比前一阵子差多了。"

"的确如此。"

"人的心情，哈，也不过如此吧，晴明。"

"'不过如此'的意思是……"

"我是说，人的心情嘛，也像季节一样会转换的吧。"

"你怎么啦，博雅？"晴明微微一笑，说道，"你今天有点怪嘛。"

"季节转换之际，人都会有这样的感受。"

"没错，因为你大概就是这种状况吧。"

"好啦，晴明，别拿我开玩笑。我今天确实有许多感受。"

"哦？"

"你听说了吗？高野的寿海僧都出家啦。"

"哦，这是……"

"我昨晚值夜时，听藤原景直大人说的。这件事给我很大的震动。"

"是怎么回事？"

"寿海僧都原是石见国的国司①。"

"噢。"

"他原来住在京城里，但被任命为石见国的国司后，就搬到那边

---

① 即地方长官。

去了。那时候，他把母亲、妻子也带去了，在那边一起生活……"

"哦。"

"母亲也好，妻子也好，在寿海眼里，大家相处得都不错……"

"哦。"

"但是，据说有一个晚上出事了。"

博雅的声音低了下来。

"在一个房间里，母亲和妻子高高兴兴地下着围棋。寿海大人偶尔从旁走过，看见了她们的身影……"

"身影？"

"那里正好有隔扇，因为灯火在那一头，所以将母亲和妻子两人下棋的影子映在隔扇上了……"

"哦。"

"寿海大人看见那影子时，大吃一惊……"

"怎么回事？"

"映在隔扇上的两人头发倒竖，变成了蛇，还互相噬咬呢。"

"哦。"

"真是可怕。表面上友好地下着棋，其实心里都憎恨着对方，这种念头把映在隔扇上的发影变成了蛇，缠斗不休。"

实在是令人感伤啊……

"寿海大人将所有财物分给母亲和妻子，自己一袭缁衣出家了，到了高野。"

"原来是这么回事。"

"人啊，即便此刻春风得意，难保别处就不在酝酿什么事情了。于是，也就有像寿海大人这样的，自己在盛极之时，就毅然撒手，舍弃一切出家了。"

"哦。"

"话说回来，不过是映在隔扇上的头发，竟会让人看起来是蛇的模样，这种事也会有吧。"

"博雅，人的头发的确有很大的咒力，但在寿海大人这件事上，也不能只责怪母亲和妻子两人吧。"

"哦？"

"因为人往往在无意中，就在自己心里下了咒再去看待周围的事物。"

"这又是怎么回事呢，晴明？"

"也就是说，可能寿海大人老早就有出家之念，一直想找一个契机。他也可能不自觉地将内心映照在隔扇上，把它看成那个样子了。"

"到底是哪一种情况呢？"

"我也弄不清楚。因为即便去问寿海大人，他也说不清这么复杂的事吧。"

"哦……"博雅似懂非懂地点着头，端起酒杯。

"博雅，今晚要陪我吗？"

"陪你？现在这样还不是陪你吗？"

"不是在这里。今晚，我稍后就要去一个地方。我是问你，要不要陪我一起去。"

"上哪儿去？"

"去一个女人那里。"

"女人？"

"在靠近四条的堀川，有一所房子里住着一位名叫贵子的女人。"

"去她那里？"

"对。"

"喂喂，晴明，找女人还带一个男的，太不识趣了吧？要去你自己去嘛。"

"嘿，博雅，我可不是去泡女人。"

"为别的事吗，晴明？"

"我今晚是为正经事才去那女人的地方。"

"正经事？"

"唔，你听着，博雅。离出发还有一点时间。现在你听完我说的事，再决定去与不去也不迟。"

"姑且听听吧。"

"为什么这样说？"

"原先听你说要去找女人，我想，嘿，你也跟平常人有共同之处吗？安倍晴明也有找女人的时候啊。"

"因为不是那么回事，所以失望了？"

"咳，并不是失望。"

"那么，不是那么回事，太好了？"

"别问我这样的问题。"

博雅生气似的抿着嘴，移开视线。

晴明微微一笑，说道：

"好吧，博雅，你听着……"

他又把酒杯端到红红的唇边。

二

有个男子叫纪远助。

他是美浓国人，长期以来，一直在四条堀川的某家当值夜的人。

应召进京时，他的妻子细女也一起来了。

这位远助平时住在四条堀川的大宅，但也勤找机会回到西京自家，和细女一起度过。

大宅的主人是个身份尊贵的女子，名叫贵子。

有一次，远助奉女主人贵子之命，出门到大津去办事。时限给了三天，但办完事情却不需要花那么多时间。到了第二天早上，任务已经完成。

本来可以在大津再过一晚，第二天再返回大宅，但他宁愿当天急急赶回京城，这样一来，就可以在自己家里和细女共度良宵了。这样一想，远助就决定返回京城。

到离京城不远的鸭川桥附近时，忽然有人跟他打招呼。

"哎……"

是女人的声音。回头一看，桥头站着一名身穿蒙头衣①的女子。

"咦……"

刚才上桥时，原以为没有人呢，可现在那里分明站着一名女子。看来是自己赶得太急了，没有发现站在一边的女子。

夕阳西下，四周暮色渐浓。远助问那女子："您有什么事吗？"

"是的。"女子点点头，说道，"我以前跟你的主人贵子小姐有过一些交情。"

"啊……"远助心想，这女子以前和自己的主人贵子相熟，这没有什么。可是，她怎么知道我在贵子家里做事呢？

于是远助就这样问了那女子，女子答道：

"我好几次路过那大宅子，那时候见过你的模样。"

说来也有道理。

"两天前，偶尔看见你过桥往东边去，不像是出远门的打扮，所以想你两三天就会回来，就在这里等你。"

噢，原来如此。

"那，您等我有什么事吗？"

"是的。"

女子穿的是蒙头衣，她的脸完全看不见。远助只能看到她白净的下巴和红红的嘴唇。那红唇嫣然一笑。

"有件东西要托你带给贵子小姐……"

---

①古时贵妇人出门穿的衣服。

女子的手离开蒙头衣，伸入怀中，取出用漂亮的绢布包着的信匣子似的东西。

"我想请你回去之后，把这个交给贵子小姐。"

"您为什么不自己给她呢？"

这女子似乎在此专候了整整两天，有这工夫的话，她自己上大宅去也足可走一个来回了——远助这样想。

"因为某些原因，我不能在那所宅子露面。有劳了。"

她把东西硬塞到远助手上。远助只好顺势接下来。

"麻烦你了。"女子深鞠一躬。

"请问您的姓名？"

远助这么一问，女子答道："我现在不能说，等贵子小姐打开那个匣子之后，她就会明白的。"

女子又说："只有一点我要声明，把匣子交给贵子小姐之前，请千万不要中途打开。要是打开了，对你很不好的……"

话里有一种不祥的味道。收下这样的匣子，不知会发生什么事呢。

远助想还给对方，话未出口，对方先说了："那就拜托了！"

女子深深鞠躬，已经背转身去。

远助无奈地往前走了几步，心中不明所以，心想还是拒绝为好。回头望去，那女子却已不见踪影。

傍晚的时间已经过去，夜色渐浓。没有法子了。远助只好抱起匣子赶路。

幸好快到满月的月亮升上东面的天空，借月光走夜路，在半夜之前就到了家。

妻子细女见了远助满心欢喜，但见丈夫提着个绢布包裹，便问道："咦，这是什么？"

远助慌忙答道："不不，没有什么，你不要管它。"

说着，远助把匣子放在杂物房的架子上。

远助因为旅途劳累已沉入梦乡，而他的妻子却牵挂着那个匣子，无法入睡。

她原本就是个妒心极强的女人，这下子更认定那匣子必是丈夫在旅途中为某个女人买的。用这么漂亮的绢布包着，里面究竟是什么呢？她越想越生气，翻来覆去睡不着。

细女最后拿定主意，她爬起来，点上灯，来到杂物房，把灯放在架子上空的地方，取下匣子。解开绢布，里面是个镶嵌了美丽的螺钿花纹的漆盒。

细女一下子热血涌上头，她打开了盒盖——

"唰！"

盒子里有东西在动，一个可怖的黑色东西从盒子里向外蹿。

"哎呀！"

她不禁大喊一声，声音大得吵醒了远助。她的丈夫赶紧起来看个究竟。

远助来到杂物房，只见妻子细女吓瘫在那里，全身瑟瑟发抖。

"怎么啦？"

对于远助的问话，妻子只能像鲤鱼那样，嘴巴一张一合，手指着地上的某一处。借着灯火，远助看清地上的那个地方，只见那里有一道令人毛骨悚然的、有某种东西爬过的鲜红血痕。

远助追踪着血迹，出了杂物房，来到外廊，那血迹穿过板房的空隙，到外面去了。他已经没有勇气再追下去了。

返回杂物房看看，细女好不容易才能说出话来。

"我打开那匣、匣子，从里面……蹿出了好可怕的东西……"

"出来什么了？"

"不知道呀。因为惊慌失措，没有看清楚。"

她已经气息奄奄。

远助看看架子上，打开了盖子的匣子还放在那里。他取过这惹事的匣子，窥探里面的情况。

刚看了一眼，他"哇！"地大叫一声，把匣子抛到一边。

借着灯火看得很清楚，里面放的是一双连眼睑一起剜出的眼睛，以及带阴毛割下的阴茎。

三

"嗬……"

一直在听故事的博雅，喉咙深处情不自禁地发出声音。

"那是昨天晚上的事。"晴明说道。

"昨晚？"

"对。到了早上，远助慌忙赶回大宅，向贵子小姐汇报整件事，交上了那个匣子。"

"然后呢？"

"然后贵子小姐就来叫我——情况就是这样。"

"那你今晚要去见的女人是……"

"就是贵子小姐。"

"原来如此。"

博雅点点头，一副惊魂未定的样子。

"但是，你白天为什么不去呢？"

"贵子小姐是傍晚告知此事的，只比你来得稍早一点点而已。"

"哦。"

"我对派来的人说了，我有朋友要来，稍后吃过饭就和他一起来。"

"'一起来'？晴明，这位要和你一起去的人是……"

"就是你嘛，博雅。"

"是我？"

"对。"

"哦。"

"你不去？"

"不，我没有说不去。"

"那不就行了吗。可能有很多事还要请你帮忙。"

"帮忙？用得上我吗？"

"嗯，可能会吧。"

"是吗？"

"你不去？"

"唔，嗯。"

"走吧。"

"走。"

事情就这样定下来了。

四

他们的牛车前往四条堀川的那所大宅。

没有带随从和赶车的人，大黑牛拉着载有晴明和博雅的车子，四平八稳地在月光下走着。

"哎，晴明——"

博雅舒适地随着牛车轻轻颠着，对晴明说话。

"什么事？"

"那个在鸭川桥出现的女子，究竟是什么人？"

"这个嘛……"

"原本是人的时候，恐怕也很不一般吧……"

"噢，应该是吧。"

"她是鬼吗？"

"这事可急不得。"

晴明的语气很平静。

"但是，从匣子里蹿出来的黑糊糊的东西，究竟是什么？听你说的时候，我感到不寒而栗。"

"总会弄清楚的。稍后见了贵子小姐，听她介绍就会明白了……"

"嗯。"博雅点点头，掀起帘子朝外面看。

车子走动着，碾过路上的小石子和凹凸不平处，发出轻微的声音。清幽的月光，把车子的黑影浓重地投射到地面。

五

牛车到达大宅。晴明和博雅立即被领到贵子的寝室。整座宅子充满了骚动不安的气氛。

各房间里的侍女都压低声音说话，她们在黑暗中睁大眼睛，呼吸紧张。庭院里燃起了几堆篝火，外廊内各处也点着灯。在院子的篝火周围，可以看见一两名担任警戒的武士。

被带到房间后，晴明和博雅并坐，与贵子相对。

贵子是个年约二十四五、肤色白净的女子，长着一双丹凤眼。

贵子身旁坐着一个面无表情的老妇人，一副见怪不怪的样子。不过，她眼中也偶尔显出不安的神色。从迎入晴明和博雅、众人退出后她仍留在室内的情况来看，这位老妇人应该是很受贵子信赖的人。

晴明郑重其事地向贵子致意，然后介绍了博雅，又说：

"许多事情都要请他帮忙，所以就一起过来了。能告诉我的事情，也全都可以让博雅知道。"

"明白了。"贵子低头致意。

"这一位是……"

贵子望望身边的老妇人。

"我叫浮舟。贵子小姐自小是喝我的奶水长大的。"

老妇人也低头致意。她在贵子身边是可以理解的。

　　"家里好像骚动不安的样子啊。"晴明环顾四周，说道。

　　"约半个时辰之前，有一名侍女出事了……"贵子压低声音说。她显得有点惊魂未定。灯光在她的脸庞上晃动，照着她苍白的脸色，明显是因惊吓失去了血色。

　　"发生了什么事？"

　　"她在外廊内走动的时候，脚被一个黏糊糊的东西缠住了。"

　　"啊！"

　　侍女发出一声惨叫，倒在地上。其他人闻声赶到时，缠绕在侍女脚上的东西已经不见了。但赤脚上已经血迹斑斑。

　　"我们来得正是时候，看来情况比预想的发展得还快。"

　　晴明说话时已经尽量控制情绪，声音里还是显出几分兴奋。耳力敏感的人，恐怕听得出里面有一种抑制不住的喜悦。

　　不过，贵子倒是没有察觉晴明声音里这种色彩。

　　"看来，在远助家里打开匣子时，逃掉的那个黑色东西已经到这里来了……"

　　"当然可以这么看，但在确认之前，还是先请介绍一下情况吧。"

　　"好的。"

　　"您看过匣子里的东西吗？"

　　"……"

　　"怎么样？"

　　"我看了。"贵子小声说道。

　　"匣子还在这里吗？"

　　"是的。"

　　"可以让我看看吗？"

　　"好。"贵子点点头，瞥一眼老妇人。老妇人点点头，默默地站起来，走了出去。

很快，老妇人手上捧着绢布包裹的匣子回来了。

"那就请吧。"她说着把匣子放在晴明面前，"请看吧。"

晴明解开绢布，取出匣子，打开盖子。贵子低下头，抬起右手，用袖口遮住视线。

晴明不动声色地打量过匣子里的东西，问道："博雅，你看吗？"

"哦……"

博雅点点头，膝行而前，探看匣子里面的东西。他随即迅速移开视线，退回原来的位置，额头渗出颗颗小汗珠。

"这里面的东西，您明白是怎么回事吗？"

"我明白……"贵子声音僵硬。

"是谁的器官？"

贵子伏下脸，几度欲言又止。过了一会儿，她下定决心似的抬头看着晴明，脸上现出一种决然的神色。

她用挑战似的目光盯着晴明，一咬牙说了出来：

"是藤原康范大人身上的。"

"眼睛呢？"

"眼睛我就不知道了，可能也是康范大人的吧。"

贵子神色黯然。

"是住在二条大道大宅的藤原康范大人吗？"

"是的。"

"听说他三四天前失踪了，没想到会变成这样……"

"……"

"藤原康范大人一向来此相会，是吧。"

"是。"

"事情为什么会变成这样？您能想到什么线索吗？"

在晴明发问的时候，贵子膝前"滴答"一声落下了什么东西。

是一滴鲜红的血。

"呜哇！"

贵子不觉抬头仰望，"啪！"地又一样东西落下来，覆盖在她脸上——是一大把乌黑的长发。

贵子仰面就倒，甚至没有喊叫一声，身体痛苦地扭动起来。她撕扯着要扒掉黑发，但扒不掉。

"贵子小姐！"

老妇人扑上来抓住黑发，想把它从贵子的脸上揪掉，但揪不掉。因为她很用力，把贵子的脸都提了起来。她用脚踩着贵子的胸口再揪，把贵子弄得更加痛苦不堪。

"不行，已经粘在脸上了。"晴明说道，"只管用力揪的话，贵子小姐的脸就会连皮带肉被扯下来。"

"可、可是……"

"是皮的缘故。不单是头发的问题。这是连带着人的头皮扯下来的头发。现在是因为皮的部分蒙在了贵子小姐的脸上。"

"那、那如何是好，晴明大人？"

老妇人手足无措地望着晴明。

贵子的眼、鼻、口都被堵塞了，无法呼吸。她在地板上痛苦地扭动着身体，自己用手揪着那把头发要将它弄掉，但无济于事。

"博雅！"

晴明站起来，俯视着贵子，对博雅大喊道："你按住贵子小姐，让她动不了，再用手试着用力拔那头发，好吗？"

"是！"博雅答应一声，按住挣扎翻滚的贵子，右手伸向那把头发。

"刷！"忽然，头发动了起来，缠住博雅的右手，把他的右腕和下臂都缠绕起来。

"怎、怎么办？"博雅求助地望着晴明。

"让贵子小姐不要动！"

晴明边说边绕到贵子头部的后方，双手将她的头捧起。

"晴明，贵子小姐不能呼吸，这样下去她会死的！"

博雅的声音近于哀号。

"晴明！"

晴明抱着贵子的头部。

"呜……"

贵子咬着牙，从中挤出声音来。僵持之中，她忽然瘫软，不动弹了。

"晴明！"

"啊？"

"怎么啦？"

"不行了，贵子小姐……"

"她怎么了？"

"死了。"

晴明的声音仿佛是从咽喉里绞出来的苦汁。

"什么?！"

"对不起。我失手了……"

"你怎么会……"博雅刚说到这里，只听喇地一声响，蒙在贵子脸上的头发脱落了。

博雅怔怔地站立起来。晴明将贵子的头搁在自己膝上，注视着捧在手中的贵子的脸。脸上血迹斑斑，但并非贵子的血。

那把长长的头发，从博雅的右臂缓缓垂下。

那原本是连皮带肉从人的头盖骨上扯脱的头皮，现在啪嗒一声，整团掉到了地上。

晴明左手抓起落在地板上的女人头发，站起，用右手拿起燃烧的烛台，迈开大步。

"你上哪儿去，晴明？"

"过来，博雅！"

"晴明，你要干什么？都已经没用啦。贵子小姐已经死了啊。"

晴明不予理会，走出外廊，将右手所持的烛台挨近左手握着的女人头发。

等火烧到头发，晴明将燃烧起来的头发丢到庭院里。

女人的头发在庭院的泥地上熊熊燃烧。它竟像有生命似的竖立起来，火头摆来摆去，像身体在扭动。发束边扭动边被火焰吞噬。烧肉和烧头发的难闻臭味扩散到夜间的空气中。

不一会儿，头发烧尽，火也熄灭了。

"好了，回去吧，博雅。"

"回、回哪里？"

"到贵子小姐那里。"

"贵子小姐那里？"

"对。"晴明自顾自起身便走。

在刚才的房间里，贵子仰卧在织锦包边的草席上，老妇人抚着她的胸口痛哭不已。

"乳娘，请不要哭。"

晴明说着，在老妇人身边蹲下，将老妇人挡开，然后抱起贵子的身体，用膝盖轻轻顶着她的后背。

这时——

"啊……"

从贵子唇间吐出一口气。她睁开了闭着的双眼。

"我、我……"

贵子环顾左右，似乎不知发生过什么事。她盯着抱着自己的男子的脸，说出一句话："晴明大人……"

"贵子小姐！"

"晴明！"

老妇人和博雅一齐大叫起来。

"不用再担心了。一切都结束了。稍后我再告诉您刚才发生过的事，现在您得好好休息。"

晴明说着，望一眼老妇人。

"请为小姐拿一杯暖开水，然后预备床铺……"

"是，是。"

尽管不明白眼前的一切，老妇人还是欢喜地答应着，站了起来。

六

"哎，晴明，到底是怎么回事？"

博雅说这句话时，二人已在牛车上了。

"该出手时就出手嘛，博雅。"

晴明看着博雅，愉快地微笑着。

"我可是完全摸不着头脑。晴明，你得给我讲清楚刚才的事情。"

"没问题，没问题。"晴明笑着抬起一只手，说道，"当时，我对你说：贵子小姐死了。其实那是骗你的。"

"说谎？"

"对。"

"你竟然骗我啊，晴明！"

"对不起。但也不是欺骗你啦。我是骗那把头发。"

"什么？"

"只有认定贵子小姐已死，那束头发才会脱离贵子小姐的脸呀。"

"……"

"我当时抱着贵子小姐的头，其实我是用手指压住她头上的血管。"

"血管？"

"对。血管被压住一会儿之后，人就会有一阵子没有呼吸。"

"……"

"不过，心脏还是跳动的。所以就有必要让那束头发缠在你的胳膊上。这样一来，那束头发感觉到的就是你的心跳了。它就很难察觉贵子小姐的心脏还在跳动。"

"贵子小姐死了，这话是你说的呀，晴明……"

"不这样说的话，那束头发就不会放开贵子小姐。你相信了我说的话，所以那束头发也上当受骗了。这是你的功劳呀，博雅。"

"……就算你这么说，我心里头也高兴不起来。"

"当时刻不容缓啊。在那里预备什么咒呀、符啊之类的东西，再念起来，贵子小姐可真要死掉了。用火去烧的话，就会连贵子小姐的头发也烧着……"

"对。"

"是你的功劳啊，博雅。"

"哦。"

"幸好有你在。"

"晴明，你要去贵子小姐家时说过需要我，难道从一开始你就打算……"

"怎么可能嘛。那时可没有想到这个地步。因为当时我连头发的事也不知道。"

"那倒也是。"

博雅似乎还有些不平，斗气似的嘟着嘴。

"那倒也是……晴明，接下来你要到哪里去？"

"不知道。"

"不知道？"

"对啊。"

"为什么？"

"你问它！"晴明将右手举至博雅面前。

"是什么？"

"看不见？是这个。"

食指和拇指并拢着，像捏着什么东西，捏合的指头向上。

博雅掀起帘子，让月光照入车内。

晴明将右手置于月光中，食指和拇指夹住的东西是——

"这是……"

博雅喊叫起来。那是一根细小的头发。发梢正好弯向牛车前进的方向，仿佛前方有把头发吸引过去的磁力般的东西。

"在点火之前，我藏起了一根头发。这根头发会给我们带路的……"

"我们要去哪里？"

"去这头发的主人——下咒让头发置贵子小姐于死地的家伙那里。"

七

月亮大幅偏西的时刻，牛车停了下来。

听得见河流的水声。晴明和博雅下了牛车。

京城东端——鸭川桥的桥头。

抬头望去，满月已西斜，挨近山顶。向桥上望去，只见桥头站立着一个模糊的人影，身上散发着朦胧的青光。

晴明慢慢走近那个人影。

是一个穿蒙头衣、只露出嘴巴的女子。

"贵子小姐已经死了。被你的头发绞死的。"

晴明平静地说道。

只见这女子的红唇向左右两边吊起，露出白色的牙齿。

"太高兴了……"女子的嘴唇微笑着说道。

"可以告诉我事出何因吗？"

晴明这么一问，那女子开始慢慢叙述起来。

"四年以前，我一直在藤原康范大人管治的远江国，是康范大人的女人。然而，康范大人回京城去了……"

女子低着头，淡淡地说。

"尽管信誓旦旦地说一到京城，就叫我过去。可自他回京以后，过了一年、两年、三年，还是没有音信。转眼间第四年了，风闻康范大人有了新的女人，因为一心到她那里去……"

说话中间，不知是由于愤怒还是伤心，女子上下牙磕碰着，开始发出小小的咯咯声。

"岂有此理，康范！"

女子唇间的牙齿突出，但随即又恢复原样。

"我打算弄清楚康范大人的真实心意，就在第四年，也就是今年的春天，独自离开故乡。但我途中得了病，仅有的旅费用完了。十天前我从旅馆发了信给他。"

康范来了。不知何故他独身一人，连随从也没有带。

康范一见女子，便握着她的手，潸然泪下。

"啊，让你受苦了。"

康范说一起去京城吧，女子便像霍然病愈似的，拼命也要赶路，终于来到鸭川河边时，已是晚上。

早一刻抵达京城也好——

脚步匆匆的女子心中只有这个念头。然而，冷不防康范竟从身后拔刀，劈向先踏上鸭川桥的女子。

被刀砍中，女子这才明白了康范的心意：正好在这个没有人影的地方，把碍事的自己弄死，抛尸河中，然后逃之夭夭……他是为此才单独行动的吧。正好在夜间来到这里，也是一开始就想好了的。

康范以为第一刀便已将女子置于死地，于是背靠着桥，打算先平静一下心情。此时，苏醒过来的女子夺过康范的长刀，一下扎中他的胸膛，杀死了他。

康范是死了，但女子也身负重伤，将不久于人世了。

"我当时想，自己要变成生灵，附在那个仍活着的康范的新欢身上，杀死她……"

女子的牙齿又咯咯地响起来。

"我把康范的阴茎割下来，剜下眼珠，自己嘛，也这样把头皮……"

女子一下子脱掉蒙头衣。

"啊！"博雅喊叫起来。女子自眉以上的头皮被彻底剥离了，剩下的头盖骨清晰可见。

"黑发凝聚着我的心念，终于附在那女人身上，杀死了她。"

女子的眼睛吊起，牙齿从嘴巴里凸显出来。

"哈哈……"

女子向天上的月亮喊叫：

"太高兴啦……"

"太伤心啦……"

"太高兴啦……"

"太伤心啦……"

女子越喊叫，身体变得越单薄。

"高兴啊……伤心啊……"

她消失了。

长时间的沉默之后，晴明忽然说话了：

"结束啦，博雅。"

"哦……"

博雅点着头，但眼睛还是盯着女子消失的地方，没有动身的意思。

凉飕飕的秋风吹着两个人。

据说后来在鸭川桥下打捞时，从河底找到了藤原康范的尸体，以及一具没有头皮的女尸。

迷神

一

樱花盛开。密密麻麻的花朵，连枝条都压低了。

没有风。风连一片花瓣也不愿吹动。

阳光明媚，照着这些樱树。

在安倍晴明的家里——

源博雅坐在外廊内，和晴明一起眺望着庭院里的樱花。

二人跟前有一个装着酒的酒瓶，各一只酒杯。杯子是墨玉做的高脚杯。那是夜光杯。

> 葡萄美酒夜光杯
>
> 欲饮琵琶马上催

是大唐的王翰吟咏过的杯子。

看一眼樱花，喝一口酒，放下杯子，再看一眼樱花。

忽然，一片花瓣飘落地上。仅仅一瓣而已。仿佛照射其上的阳光渗入了花瓣，令它不胜重荷。

"晴明啊——"

博雅压低声音说话，仿佛怕自己呼出的气息惊落花瓣。

"什么事？"

晴明的声音近于冷淡。

"我刚刚看见了动人的一幕。"

"看见什么了？"

"我看见樱花的花瓣，仅仅那么一片，竟然在没有风的时候飘落地面。"

"哦。"

"你没有看见？"

"看见了。"

"你看见了，没有产生什么感想？"

"什么感想？"

"就是说呀，晴明，那边开着那么多樱花……"

"没错。"

"在那数不清的樱花花瓣中，在连风也没有的情况下，却有一片花瓣掉了下来。"

"噢。"

"我看着它掉下来。可能过不了几天，樱花的花瓣就开始逐渐散落，到那时，落下的是哪一朵哪一瓣，就无从知晓了吧。可是，刚才掉下来的那一瓣，说不准就是樱树今春落下的头一片花瓣呢……"

"噢。"

"总之，第一片落下的花瓣让我看见了。这岂不是动人的一幕？"

博雅的说话声大了一点。

"然后呢？"

晴明说话的腔调还是不冷不热。

"你看见了那一幕，什么也没想？"

"倒也不是没有。"

"还是有吧。"

"有。"

"想了什么？"

"比如说吧，因为花瓣落下这件事，使你博雅被下了咒之类。"

"你说什么？"博雅似乎不大明白晴明的话，追问道，"那花瓣掉下来和咒有什么关系？"

"噢，说有关系也行，说没有也行。"

"什么?!"

"博雅，就你的情况而言，应该是有关系。"

"等一下，晴明。我一点也听不明白。如果说是我的话就有关系，换了别人，也可以是没关系吗？"

"正是这样。"

"我不明白。"

"听我说，博雅。"

"好。"

"花瓣离枝落地，仅此而已嘛。"

"嗯。"

"但是，如果一旦被人看见，咒就因此产生了。"

"还是咒？你一提咒，我就觉得你把问题弄得麻烦了。"

"哎，别这样，听我说嘛，博雅。"

"听着呢。"

"例如，有所谓'美'这回事。"

"美？"

"也就是漂亮呀、愉快呀什么的。"

"那又怎么了？"

"博雅，你会吹笛子，对吧？"

"对。"

"听到别人吹出的笛声，也会觉得美吧？"

"会。"

"但是，即便听了同样的笛声，也会有人觉得美，有人不觉得美。"

"那是当然。"

"问题就在这里，博雅。"

"在哪里？"

"就是说，笛声本身并不是美。它和那边的石头、树木都是一样的。美，产生于听笛声的人的内心。"

"唔，对。"

"所以，笛声仅仅是笛声而已，它在听者的内心产生美，或者不产生美。"

"对。"

"美也就是咒啦。"

"对。"

"如果你看见樱花瓣落下来，觉得美，被感动，那么它就在你的心中产生了美的咒。"

"对。"

"所以嘛，博雅，佛教教义中所谓的'空'，正是指这件事。"

"你说什么？"

"据佛家所言，存在于世上的一切，其本然均为空。"

"你是说那句'色即是空'？"

"说'有东西在那里'，必须同时有那个东西，以及看见那个东西的人，才可成立。"

"……"

"光有樱花开在那里，是没有用的。源博雅看见樱花盛开，才产生了美这东西。但是，光有源博雅在那里也不行。有樱花，有源博雅这个人，当博雅看见樱花后被樱花打动，这才产生了美。"

"……"

"也就是说，唔，这个世上的一切东西，都是通过咒这一内心活动而存在的吧。"

"晴明，你平时看樱花的时候，老是想得这么复杂吗？"

博雅泄气地说。

"不复杂。"

"晴明，你直白点吧。看见樱花落下，觉得美的话，你就认为美，不就行了吗？要是觉得很奇妙，就认为很奇妙，不就行了吗？"

"哦，很奇妙吗……"

晴明喃喃道，似乎在考虑什么问题，没有说话。

"喂，晴明，你怎么啦？"

博雅催促沉默下来的晴明。但是，晴明没有回答。

"喂喂……"

当博雅又一次向他搭话时，晴明说了一句："是这样吗？"

"什么'是这样吗'？"

"樱花呀。"

"樱花？"

"樱花就是樱花嘛。刚才不是说过了吗？"

这么一来，博雅不明白了。

"博雅，这是你的功劳。"

"什么是我的功劳？"

"多亏你跟我谈樱花的话题。"

"……"

"虽然我自己说过樱花仅仅是樱花，但并没有注意到这点。"

虽然不明白是怎么回事，博雅还是点点头说："原来是这样。"

"其实从昨天起，我就有一件事情想不通。怎么想都捉摸不透，现在终于明白该怎么做了。"

"晴明，是什么？"

"稍后跟你说。在此之前，先要求你做一件事。"

"什么事？"

"在三条大道东面，住着一位叫智德的法师。我想麻烦你走一趟。"

"可以。问题是到他那里干什么？"

"说是法师，其实他是从播磨国来的阴阳师，三年前起就一直住在京城。稍后你去他那里，帮我问一件事。"

"什么事？"

"你就问：鼠牛法师现在住在哪里？"

"就这句话？"

"他可能说不知道。但是，不能就此罢休。我现在就写一封信，如果对方答不知道，你就把这封信交给智德法师，请他当场读信。"

"接下来呢？"

"可能他就会告诉你了。那样的话，请你马上回来。在此之前，我就会做好准备工作。"

"准备工作？"

"一起外出的准备工作呀。"

"去哪里？"

"就是等会儿你从智德法师那里获悉的地点。"

"我不明白，晴明……"

"你很快就会明白的。对了，博雅，我说漏了一点：你不能对智德法师说是我派你去的。"

"为什么？"

"因为即使你不说，他读了信也会明白的。听清了？到了那里，不要提及我的名字。"

虽然不明白，博雅好歹还是点了点头，说声"明白了"，就坐上牛车出门而去。

二

过了一阵子，博雅返回。

"吓了我一跳，晴明。跟你说的完全一样啊。"

地点和刚才一样，仍在外廊内。晴明稳稳地坐着，慢条斯理地端起酒杯。

"智德法师身体还好吧？"

"谁知道他好还是不好。他读了你的信，一下子脸色苍白。"

"不出所料。"

"之前还说不知道什么鼠牛法师，结果一下子就老实了，乖乖地说了。"

"地点呢？"

"在京西。"

"哦。"

"哎，晴明，你信上写了什么？智德法师还畏畏缩缩地问我：你看了里面的内容吗？我说没看，他竟松了一口气，叮问一句'真的吗'。看他那模样挺可怜。"

"因为你是樱花嘛，博雅……"

"我是樱花？"

"对呀。你只是作为你存在于那里，是对方自作自受落入不安的咒之中。你越是诚实地说没有读过，对方越是害怕。"

"跟你说的一样。"

"那就太好了。"

"哎，晴明，信上究竟写了什么嘛。"

"名字。"

"名字？"

"是智德法师的真名。"

"那是怎么回事？"

"明白吗，博雅？做我们这种事的人，一定会将真名实姓和另外的名字分开使用的。"

"为什么？"

"如果真名实姓为人所知，而他又是阴阳师，就很容易被人下咒。"

"那么，你也是除了'晴明'之外，还有真的名字？"

"当然有。"

"是什么名字？"

随即又道："不，你不说也可以。如果你不想说，问你也不会说，我不想让你为了不想说的事花心思。还是问这个吧：你跟智德法师之间，以前发生过什么事吗？"

"说有也是有的。"

"发生了什么事？"

"约三年前，智德法师要来考验我。结果，智德法师所用的式神被我收藏起来了。他求我还给他，我就还给他了。智德法师竟然因此将真名实姓写下来给我……"

"可是，把如此重要的姓名交给了你……"

话说到一半，问题又变成：

"晴明，你是使了什么手段，让他把自己的姓名写给你的吧？"

"算了……"

"如果是他自己主动要写的，他见了我也不至于那么慌张吧？"

"唉，先不管它啦。"

"不管不行。而且，你让我去跑腿，自己一直在这里喝酒赏花？"

"没错。"

"我是因为你说要做许多准备工作才去的。可是你……"

"哎，别急嘛。这趟差事不能由我出面，所以才请你出马。"

"为什么你就不行？"

"因为照我的想法，这鼠牛法师应该是智德法师的师父，我一问他就说出来，事后鼠牛法师可要生他的气了。"

"为什么要生他的气？你正和那位鼠牛法师闹矛盾吗？"

"不一样。信上绝对没有晴明两个字，只是写着智德法师的名字。所以，智德法师对自己也好，对鼠牛法师也好，都可以辩解说没有受到晴明的威胁。这点是至关重要的。"

"唔……"

"总之，既然知道了鼠牛法师的所在地，我们动身吧。"

"唔，也好。"博雅还想说什么，但点点头，把话吞了回去。

"能动身了吗？"

"走吧。"

"走。"

事情就这样定下来了。

三

牛车四平八稳地走着。

大黑牛慢吞吞地拉着载了晴明和博雅的牛车。既没有牧牛的小童跟随，也不见赶牛车的人，牛只是随心所欲地向前走。

"哎，晴明，你把来龙去脉告诉我吧。"

在牛车里，博雅向晴明说道。

"噢……该从何说起呢？"

晴明似乎已经决定说出来了。

"从头说起吧。"

"既然如此，就从菅原伊通大人的事说起吧。"

"究竟是谁呀？"

"他是住在西京极的人，去年秋天亡故了。"

"然后呢？"

"他的妻子名叫藤子，藤子还活着……"

晴明开始叙述起来。

四

菅原伊通出生在河内国。

他年轻时即已上京，颇有才干，所以在朝廷里做事。虽然没有专门拜师学艺，但他吹得一手好笛子。

伊通娶的妻子叫藤子，出生于大和国，她父亲为给朝廷效力而进京，她是跟随父亲来京城的。

父亲和伊通相熟，成为伊通和藤子相识的机缘，他们互通书信，以和歌酬答。在藤子父亲得流行病去世那一年，二人结为夫妇。

二人琴瑟和谐。在月明之夜，伊通常为藤子吹笛子。

然而，在藤子成为伊通妻子的第三年，伊通也和藤子的父亲一样染上了流行病，不幸去世。

"那是去年秋天的事。"晴明说道。

藤子夜夜以泪洗面。一到晚上，她就回想起伊通温柔的话语和搂着她的有力的胳膊；每逢月出，她就回想起伊通吹奏的笛声。

再也见不到伊通了，再也不能被他有力的胳膊拥抱了，再也听不到那笛声了——每念及此，藤子泪如雨下，万念俱灰。

最终，就算丈夫已死，她也想要再见死去的丈夫一面。

"她去找智德法师。"

藤子哭着恳求智德：我无论如何也想见丈夫，请法师成全。

"很遗憾……"智德只是摇头,"我没有办法让死者回到这个世界。"

"那么,法师知道谁能做到吗?如果能满足我的愿望……"

藤子说,多少钱她都愿意出。父亲和丈夫留下来的财产多少有一些。她声称,甚至卖掉房子也在所不惜。

"好吧……"智德法师答应了。

"智德法师不知从哪里给她找到了鼠牛法师。"

"原来如此。"博雅点点头。

论岁数,鼠牛法师是五十出头的样子。他很快就收了钱,施了秘术。

"不会马上就出现。需要五至七天,有时要花个十天才能现身。因为从那个世界到这个世界的路程很漫长。"鼠牛法师说完就走了。

"今晚会来吗?"

"明天会来吗?"

在焦急的等待中,迎来了第十天——

是一个美丽的月夜。在卧具中无法入眠的藤子的耳朵里,听见了不知从何而来的笛声。再侧耳倾听,是久违的伊通吹出的曲子。

笛声越来越近。藤子大喜,立即起来,等待着笛声靠近。

笛声更近了。与欢喜有所不同的不安,逐渐从藤子心中滋生。

他究竟会以什么模样返回呢?变成厉鬼、以鬼的模样出现?还是变成像空气般没有实体的灵回来?

见到了死去的伊通,又能怎么样呢?

即便伊通已死,还是想见他。

可是,自己心里很害怕。虽然害怕,还是想见他。

藤子被这两种心思折腾着的时候,笛声来到了家门口,停住了。

"藤子呀,藤子……"一个低低的声音传来,"请打开这扇门……"

千真万确,正是心爱的伊通的声音。

从板窗的缝隙向外张望,只见伊通全身沐浴着月光,站在那里。除了脸色略显苍白之外,与生前并无二致。可她既爱他,又莫名地感到害怕。

他裙裤的带子解开了，看到这一点，她体内升腾着依恋之情，但却话不成声。

是开门还是不开门？

就在此时，伊通吟诵了一首和歌：

翻越死出山
心伤失故人

和歌的意思是：跨越了死出山，如今身在冥途的我是如此哀伤，是因为见不到爱恋的你……

但是，藤子开不了门。

"因为你太想我了，你的念想变成了火焰，每天晚上我都被这火灼烧啊。"

透过板窗的缝隙仔细打量，只见伊通身上各处都有烟冒出。

"你害怕也是有道理的。念及你那般苦恋着我，不忍心看你这样，就告了假，好不容易才赶来，但若你觉得害怕，今晚我这就回去了……"

说完，伊通又吹着笛子离去。连续三个晚上都是这种情况。

晴明说，每次藤子都开不了门。

"噢……"

一想到这种情况以后天天晚上都将持续，就连藤子也害怕了。

于是，藤子夫人又到智德处泣告。

我不见亡夫也可以了，请设法让他不要来行吗？

"那叫'还魂术'，岂是我这种人处理得了的？"智德说。

"那，不能再请鼠牛先生来吗？"

"我不知道他此刻身在何处。即使知道，也不知道他肯不肯。即使他肯来，恐怕也得再花钱。"

藤子被冷落一边。

"于是，她就来哭求我。"

"原来如此。"

"可是，还魂术并不是谁都能施的。在京城里，除了我晴明，大概还有两个人吧……"

"你心里有数了吗？"

"算是有吧。"

"是谁？"

博雅发问时，晴明忽然往帘外望望，说道："好像已经来了。"

说着，晴明掀起帘子，向外眺望。

"没错，已经来了。"

"什么来了？"

"从鼠牛先生那里派来接我们的人。"

"接？"

"对。鼠牛先生很清楚，接下来我们会去找他。"

"为什么？"

"大概是智德法师跟他说的吧。"

"他说了'已经告诉晴明'这种话吗？"

"管他呢！不外乎发生过如此这般的事情吧。即使我没有报出姓名，像鼠牛法师这等人物，自当看透是我晴明在背后。现在派人来接，正说明了这样的情况。"

晴明边说边把帘子挑得高高，请对方看。

博雅往外窥探，见一只老鼠飘浮在空中，盯着牛车这边看。

这只老鼠有翅膀，正吧嗒吧嗒地振翅。

不是鸟那样的翅膀，是蝙蝠式的翅膀。但是，它并不是蝙蝠，千真万确是只小萱鼠。有翼的萱鼠一边轻轻扇翅膀，一边在牛车前面飞翔。

五

牛车停下。

下车一看，是一片荒地。

太阳向西边的山后倾斜，余晖斜照在春天的原野上。

牛车前面有一所荒废的房子，沐浴在红红的阳光之中。房子旁边有棵高大的楠树。

晴明注视着破房子，他的前头，那只有翼的萱鼠在飞翔。

晴明伸出左手，萱鼠停在他的手掌上，收拢翅膀。

"你的任务已经结束啦。"

晴明说着，合起手掌，再次伸开时，萱鼠已经无影无踪。

"那是什么？"博雅问。

"式神呀。"

晴明说完，迈步朝破房子走去。博雅跟在后面。

"晴明，你要干什么？"

"去跟鼠牛法师寒暄。"

"这名字挺狂的呀。鼠和牛，只把十二生肖的前两个连起来就算名字，不嫌乏味吗？"

博雅说着，进了破房子的门。

晦暗的房间，有半间是泥地，有个炉灶，靠里面半间有木地板。

强烈的光线从窗户射进来，另一边的板壁上，仿佛悬挂着一块红布，形状和窗户一样。还有几线阳光从板壁的空隙射入房中。空气中微微有一丝血腥味。

板间里躺着一个法师打扮的男子，右肘支在地板上，右掌托腮躺着，正面向着晴明和博雅。他头发乱糟糟，脸上长满胡子。

男子面前放着一个酒瓶和一个有缺口的陶碗。酒味弥漫室内。

"晴明，你来啦。"

那男子照旧躺着说道。论岁数，应该在五十有半的样子。

"久违了，道满大人……"

晴明说道，红唇上略带一丝笑意。

"什么什么？晴明，你刚才说什么？"

"博雅，这一位是鼠牛法师——芦屋道满大人……"

"怎么会——"

他是与晴明齐名、在京城里广为人知的阴阳师。

播磨国有贺茂家、安倍家之外的阴阳师集团，论到来自播磨国的阴阳师，芦屋道满是最出名的。自古以来，播磨国就是出阴阳师或方士的地方。

"晴明，过来喝一杯怎么样？"道满笑着找话。

"那种酒不合我的口味。"

说着，晴明的目光向上瞥了一眼。

从上方垂下两条线，分别倒吊着一只老鼠和一只蝙蝠。它们的嘴里淌着血，血水一直滴答滴答地滴落在酒瓶和陶碗里。

"晴明，那、那是……"

"博雅，你也看见了吧？刚才在空中飞的老鼠嘛。那式神是道满大人在这里如此这般炮制出来的。"

"有何贵干，晴明？"

道满对向着博雅说话的晴明问道。

"你做了罪过的事啊。"

"你是说我给那女人的丈夫施还魂术的事？"

"没错。"

"我只不过是满足了她的愿望……"

"你置之不理的话，那男人就会每天晚上上门找那女人，最终会把那女人逼疯或者逼死。"

"应该是这个结局吧。"

"死人和活人相见是不好的。"

"说得好听，晴明。还魂术，你不是也干过吗？"

道满欠起臃肿的身躯，盘腿而坐。

"道满大人，你是为了钱那样做的吗？"

博雅往晴明身旁一站，说道。

"你说我是为钱而干的？"道满哈哈大笑，"哎，晴明，你告诉他。做阴阳师达到你我的层次，那么一点钱算什么？智德那种小人物姑且不论，钱是打动不了我们的。"

"什么?！"

"我们要做的，是咒。"

"咒?！"

"为咒而动。"

"那、那就是说……"博雅的话变得含含糊糊，"是为了人心吗？"

"嗬，对咒还有些认识嘛。你说对了，我们是根据人的心愿做事。明白吗？即便是还魂术，没有人的强烈愿望，我们也是无所作为的。正因为那个女人的强烈渴望，那男人才到她那里去的。谁阻止得了？"

博雅"噢"地欲言又止，求援似的望向晴明。

"道满大人的话是真的……"

"晴明，对于人间的事，你就适可而止吧。我们介入人世间，只是即兴而已。是不是，晴明？你也是这样看吧？"

道满又哈哈大笑起来。

"即兴地猜猜匣子里的东西，猜不中的也有。怎么把有生之年过得有趣一些，仅此而已吧。唉，近来甚至觉得连这一点也无所谓了。有趣也好，无聊也好，活够时间就得死。对了，晴明，这种问题你不是比我懂得多吗？"

照射在壁板上的红色夕阳，慢慢地褪去颜色。

"道满大人，由别人来解开所施的还魂术很危险，一不小心，女方也会死掉。"

"你别管，晴明。看着那女人发疯，不也有趣吗？"

"不过，我最近觉得，看花开花落多少也是有趣的。"

"行啊，你去看吧。"

"若是顺其自然，任由花开花落，是有趣的，可道满大人已经介入其中……"

"你是要我阻止花落吗？"道满还是笑。

"不是。只想让它自然地落下而已。"

"你的话挺有意思，晴明。"道满笑得露出了黄牙，"既然如此，你不妨一试吧。也好见识一下你怎么解开我道满的法术。"

"那么，允许我自由行事，对吧？"

"噢，我不加指点，也不干涉。"

"请不要忘记这句话。"

"行。"

道满答话时，阳光已经完全消失。

"因为事情很急，我这就告辞……"晴明略低一低头致意。

"走吧。"晴明催促博雅出门而去。

"行了吗，晴明？"

"他对我说将不干涉此事。这就足够了。"

晴明急急走向牛车。

暗下来的天幕开始出现点点繁星，渐浓的暮色中传来道满的笑声。

"有意思。难得有这么有趣的事，晴明……"

六

抵达女子在西京极的家时，天已黑下来。

灯火之下，晴明和博雅与藤子相对而坐。

"请问——"晴明向藤子问道,"您是否给了鼠牛法师属于伊通大人的东西?或者是伊通大人身体的某一部分?"

"我留着伊通大人的遗发,所以就把遗发……"

"给了头发?"

"对。"

"鼠牛法师没有打算要你的头发吗?"

"他是想要。"

"那,您给了吗?"

"是的。"

"伊通大人的遗发还有吗?"

"没有了。全都交给鼠牛法师了。"

"是吗……"

"会坏事吗?"

"不,不会。我们采取其他办法。为此,需要你正式与伊通大人见一面。"

"怎么正式法呢?"

"打开门,把伊通大人接进来,或者您自己走出去——能做到吗?"

"好的,我想我能做到……"

藤子点点头,一副豁出去的神情。

"那么,我和他来做准备工作。"

"准备?"

"可以给我一些盐,以及您的一些头发吗?另外,这里的灯火能否借给我一盏……"

七

晴明走在手持灯火的博雅旁边。

先迈左脚，接着右脚上前，左脚向右脚并拢。然后再先出右脚，再迈左脚，右脚向左脚并拢。之后再先迈出左脚——反复地走着这样的步法。这是驱除恶灵和邪气的方术。

边走边口中念念有词。是泰山府君——冥王的祭文。

晴明先将得自藤子的头发引火烧掉，然后将烧成的灰一点点撒在藤子家周围，现在正像在灰上描摹似的仔细踩踏一番。

在如水的月色之下，晴明终于踱完步子。

"如果伊通大人闯进这结界之中，和泰山府君的缘分就断了。"

"哦？"

"泰山府君也是我的神，所以不能采取过于粗暴的做法。这样应该刚好吧。"

"啊？"博雅完全摸不着头脑。

"距伊通大人要来的丑刻还有段时间。此前有事想问我吗，博雅？"

"问题多的是呢，晴明。"

"什么事？"

"刚才谈到了头发，那是怎么回事？"

"我是想，要用最省事的方法来解决这件事。"

"最省事的方法？"

"对。还魂术有好几种方法。听说鼠牛先生要了头发，我猜想道满是用头发来搞还魂术吧。"

"……"

"道满大人恐怕是将藤子和伊通大人的头发焚烧，用灰来作修法。"

"怎么修法？"

"大概是在埋葬伊通大人遗体的坟墓上面，撒下二人头发的灰，在那里读一二日泰山府君的祭文之类的吧。还有其他种种方法。如果仍留有二人的头发，我会将其切碎，撒在坟墓上，由我取代道满向泰山府君祈求解开还魂之法即可。此时，若道满要干扰我，他只需祈求不要解开还魂之法。"

"哦哦。"

"如果对方是不如道满的人，事情总好办，但这一回应该是先施了还魂术的道满的咒更强。"

"那，你刚才在做什么？"

"就是樱花的花瓣啊，博雅。"

"花瓣？"

"是你教给我樱花花瓣这回事啊。"

"我不明白你说什么。"

"经你一说我才醒悟。关键时刻，直接出示樱花花瓣原来的样子就行……"

"道满也说过吧？不仅是还魂之法，所有的咒都是人心的愿望……"

"在某种意义上，咒可能比这世上的任何事物都强。因为咒拥有比我、比你更强，甚至能推动泰山府君的力量。"

"我还是不明白。"

"不用理它。你对咒可能比我懂得更深呢，博雅……"

"真的？"

"嗯。博雅，叶二带来了吗？"

"哦，在我怀里。"

"伊通大人可能还会吹着笛子走来吧。他来到结界附近，可能会有所察觉停下来。如果出现这种情况，你就吹叶二，好吗？"

叶二——据说是博雅得自鬼手中的笛子。

"明白了。我照你说的做。"

八

灯火之下，晴明和博雅在藤子身后等待。

可能有一点点风，门扇不时发出很小的声音。

"没事吗？"

藤子小声问道，她仍旧端坐，声音显得沙哑，因为太紧张，嘴巴和喉咙干涩了。

"只要您把持得住，其余的事情由我和博雅设法办妥。"

晴明说话柔声细气，与平时不同。

又沉默下来，三人静听风声。此时——

"来啦，晴明……"博雅低声耳语道。

不久，不知从何处传来了笛声。开始声音很小，但越来越大，越来越近。

"开始吧——"

晴明点点头，藤子站了起来。仿佛等待握手似的，晴明和藤子一起来到板窗旁边。博雅紧随其后。

三人在板窗旁等待，听着笛声逐渐大起来。博雅已握笛在手，调整好呼吸。

接近了。晴明稍微开启板窗。

从缝隙窥探，看得见屋外洒满月光的景物。

有一道矮墙，墙外有一个人影。是个男子，身穿生前的公卿礼服，戴着乌帽子。

那男子吹着笛子走来，在围墙前忽然停下脚步。

"博雅！"

晴明一开口，博雅便将叶二贴在唇上，平静地吹起来。

从博雅将唇贴在叶二上，一种无法言喻的声音便悠悠地扩散到夜间的空气中。那声音不但摄魂夺魄，甚至连身体仿佛也变得澄澈透明了。

那男子和博雅都专注地吹奏笛子。博雅和着他，他和着博雅。

不久，说不上是哪一方在前，和悦的笛声像溶入了春天的空气里一样消失了。

"藤子呀，藤子……"

说话声从外面传来。仿佛蜘蛛丝从门口的缝隙潜入一样，是低低的、若有若无的声音。

"请打开门吧……"

见晴明的眼神示意，藤子便用颤抖的手开了门。

门打开的瞬间，混杂着春野气息的浓烈的泥土味扑面而来。

"终于肯开了啊……"伊通说道。他的呼气带着腐臭，让人想别过脸去。

他脸色苍白。身上的礼服到处冒烟。

月光如水，洒在伊通身上，泛着青光。

伊通对站在藤子身边的晴明和博雅仿佛视而不见。

"既然你心里那么痛苦，我就回来待在你身边吧。"

伊通的声音温柔体贴。藤子热泪盈眶。

"那是不可能的呀……"藤子的声音细若游丝。

"已经足够了。已经可以了。对不起，还把你叫来了。你可以放心了。"她哭着说道。

"你不再需要我了吗？"伊通声音哀伤至极。

不！不！

藤子摇晃着头，仿佛说着一个"不"字。然后，她又像说"是"字似的点点头，说道："你可以回去了……"

伊通望着藤子，几乎要哭出来。他又求救似的望望晴明，望望博雅。

他的目光落在博雅手上的笛子上，说："刚才是您……"

博雅的声音哽咽在喉间，他只是点点头。

"您吹得真好。"

说着，伊通的脸慢慢溃坏。肌肤的颜色在变化、溶解，眼球凸出，露出白色的颊骨和牙齿。

啊啊——

伊通想要喊叫般地张大嘴巴，却没有声音发出。他就这样溃败下去了。

呈现在月光下的，只是一具人的腐尸，而且是在土里已埋了半年的样子。

已成骸骨的手上，紧握着一支笛子。

解除了咒的樱花花瓣，飘落在骸骨上面。

女人默默地啜泣，过了一会儿，变成了压抑着声音的恸哭。

不思量

现今说来已是从前之事。其时圣上居于东门院之京极殿。三月二十日前后，乃樱花满开之时。上皇于寝殿曰：南门樱开极盛，其美无可言喻。此时南厢房内忽有咏歌之声传出，歌曰：离枝尤香是樱花……上皇闻声暗思："谁人在此？"乃挑帘外望，因未见人，转思：此何事体，说话者何人？命众人遍查未获。报称远近均无人。上皇甚觉意外，竟生出畏惧之心：莫非神明所言？

关白殿^①来见，上皇具言此事，关白殿奏曰："该处常有此事，不足为奇。"

《今昔物语集》第二十七卷
《于京极殿 有咏古歌音语 第二十八》

一

首先，不妨想象一下大唐这个国家。

---

①关白，日本辅佐天皇的大臣，位高权重。"殿"相当于敬称。

这个王朝从七世纪初至十世纪初，延续近三百年。

在唐王朝近三百年的历史中，若论最具大唐风采的，或者说大唐最盛的时期，毫无疑问是公元七一二年至七五六年的四十五年时间。这就是一般称为盛唐的时期。

这是怎样一个时期呢？

此一时期，玄宗皇帝统治大唐，他与杨贵妃的悲恋广为人知。以李白、杜甫为首的才华横溢的诗人们，抛金撒玉般写下千古诗篇，也正是在此时期。

这一时期的都城长安，不妨说是行将离枝坠落的烂熟期的果实。

天宝二年春天的一场盛宴，就仿佛象征着这一点。

地点在长安的兴庆宫。时值牡丹花盛开之际。在宴会气氛最热烈的时候，玄宗皇帝宣李白上前，命他作诗。

醉醺醺地来到玄宗皇帝面前的李白，横溢之才由笔端泻出，即席挥就一首诗：

> 云想衣裳花想容
> 春风拂槛露华浓
> 若非群玉山头见
> 会向瑶台月下逢

当时首屈一指的歌手李龟年当场演唱这首即兴诗，杨贵妃在宫廷乐师的合奏下翩翩起舞。有幸观瞻的人之中，还有当时出使大唐朝廷的安倍仲麻吕。后来发生安禄山之乱时，以绢将杨贵妃绞死的宦官高力士也在场。

此时的长安，是一颗虽未离枝、甘香诱人，却离腐烂只差一步、果肉几乎已溶化的果实。兴庆宫之宴不妨说是这长安的一场欢宴。

那么，日本又是怎样的呢？平安京的历史中，是否有过与李白作诗、杨贵妃起舞的大唐盛宴相当的宴会呢？

有过。村上天皇之时，在天德四年春天举办的宫内歌会就是这样的一场盛事。

所谓歌会，是皇宫里举办的活动。宫中的人分为左右两方，双方分别呈上事前所作的和歌，比较哪一方优胜。

做法有多种多样，不但注重竞技性，娱乐和欢宴的色彩也很浓厚。是一种管弦欢歌、觥筹交错的活动。

从仁和元年至文治年间的三百余年，广为人知的歌会举行了四百七十二次，类似的活动还有三十次。在合计超过五百次的同类活动中，天德四年由村上天皇所举办的宫内歌会，无论其规模、格调、历史意义，都可以说是出类拔萃的。

不是神事，不是祭祀，没有仪式，本质上纯粹是玩乐。但是，在平安京持续近四百年的历史中，这一次是最为豪华灿烂的宴会，犹如在枝头沉甸甸地开放的艳丽的大朵牡丹花。

如同李白作诗、杨贵妃起舞的兴庆宫之宴象征大唐王朝的鼎盛期一样，天德四年的宫内歌会，也可以视为象征日本古代王朝文化的事件。

首先，主持活动的是当时的天皇——村上天皇。时间是天德四年三月三十日——阳历的四月二十八日。地点是宫内清凉殿。

最先的契机是前一年，即天德三年八月十六日举行的诗会。分为左右方的男子，分别预备了诗文，比拼哪一方的诗和文章更为优胜。

这个活动刺激了宫内的女官们，于是她们说：

"男子已斗文章，女子该比和歌。"

"总是只有男人们玩得尽兴，我们也比点什么吧。"

"那我们女子就来赛和歌吧。"

可以想象女官中间有这样的对话。村上天皇将这个想法和自己的趣味结合起来，兴之所至，组织了这场活动。

在历代天皇中，村上天皇尤其喜欢这种活动。他自己也吟咏和歌，在乐器方面，筝、笙、横笛、筚篥等均极精通。他是这些音乐的秘曲传承者。记载天皇逸事的书与管弦有关的，以《江谈抄》、《禁秘抄》为首，还有《古事谈》、《文机谈》、《教训抄》等，可谓不胜枚举。

就是这样一位朝廷的最高权力者，利用自己的力量，打算在京城里搞一次空前的风流雅事。

村上天皇在当年的二月二十九日确定了左右方的"方人"。所谓"方人"，是指作为歌会主体的女官。

方人不作和歌，而是委托和歌作者创作作品，然后在歌会上将这些作品交给讲师朗诵。女官们则在旁助战，为己方呐喊助威，喝彩取乐。

这次的方人是宫内的女官们。以更衣为首，典侍、掌侍、内侍、命妇、女藏人等女官分列左右。每组十四名，一共选出二十八人。

这项旨意传达给左右方的头领更衣时，是在三月二日。决定和歌题目，颁给每位参赛女官，是在三月三日。

女官们根据自己得到的题目去安排创作和歌，竞赛当天，左右方各自拿出预先准备的和歌一较高下。

顺带提及，这是二十回合决胜负的比赛。事先须定下各题所咏和歌之数。根据题目，有的要作一首，有的要作两首，作三首五首的情况也有。按对决的顺序，各个题目与所要求的和歌数目，具体如下：

霞，一首。

莺，二首。

柳，一首。

樱，三首。

迎春花，一首。

藤花，一首。

暮春，一首。

初夏，一首。

布谷鸟，二首。

搜疏，一首。

夏草，一首。

恋情，五首。

有关春的和歌十首，有关夏的和歌五首，有关恋情的和歌五首，总共二十首。以左右方各预备二十首和歌来参赛计算，总共要创作四十首和歌。

女官们肯定兴高采烈地讨论各个题目请哪位作者来负责创作吧。

"请我吧……"

"我作的恋情诗可谓惊天动地！"

和歌作者们向女官们推销自己。

"什么地方有高手呢？"

女官们和有关的人都会四处向熟人打听。且不说过程了，最终选出了如下的歌人：

左方为——

朝忠卿（六首）。

橘好古（一首）。

少式命妇（一首）。

源顺（二首）。

坂上望城（二首）。

大中臣能宣（三首）。

壬生忠见（四首）。

本院侍从（一首）。

右方为——

中务（五首）。

藤原元真（三首）。

藤原博古（一首）。

平兼盛（十一首）。

左方为八名，右方为四名。其中，朝忠、顺、元真、能宣、忠见、兼盛、中务等七人属于三十六歌仙。

歌人数目少于赛歌之数，且左右方歌人人数不一，是由于并非一人限一首作品，而是允许一人作多首和歌。

歌会的一般做法，不是到了现场才知道歌题，即兴作歌，而是允许根据题目事前作好。

左方的方人领队，是宰相更衣源计子。右方的方人领队，是按察更衣藤原正妃。裁判由左方的上达部、左大臣藤原实赖担任。

本应中立的裁判由左方的人来担任有失公平，但作为仅次于天皇的掌权者，由他来做裁判，也是个合适的人选吧。

然后，左右方各有一名朗诵者，即讲师。左方的讲师是源延光。右方的讲师则是源博雅。

在三月十九日，公卿们也分为左右方，其他"念人"也在这天选定。所谓"念人"，不像方人那样要为本方争胜，而是为双方欢呼喝彩。

这是一场集当时平安京杰出人才于一堂的活动，参加者有贵族、文化人、音乐人、艺术家等。

于是，天德四年三月三十日下午四时，这样一场歌会开始了。

二

博雅在喝酒。

他在安倍晴明家的外廊内，面对着庭院，盘腿坐在蒲团之上，将斟满酒的琉璃杯端到嘴边。

酒是来自异国的酒，用葡萄酿造的胡酒。

晴明身穿宽松的白色狩衣，支起一条腿，背靠在柱子上。

晴明跟前也放着琉璃杯，斟满异国的酒。

正是春去夏来之际。时间已是夜晚。晴明和博雅之间放着一盏灯，火焰的周围飞舞着一两只小虫子。

庭院里芳草萋萋。后来居上的夏草，长得比鹅肠菜、野萱草等春草高，春草被淹没在夏草中，无法分辨。

与其说是庭院，其实更像一块野地。草木在晴明的庭院里自由生长。青草和绿叶的气味飘荡在夜色里。

博雅一边深深地呼吸着混杂了胡酒酒香和草木清香的大气，一边喝着酒。

庭院的深处有樱花开着。是八重樱。叶间密密麻麻地开满浅桃红色的花朵，把枝条都压坠了。

除此之外，对面有开着花的迎春花，远处缠绕着老松树的紫藤也垂下好几串花朵。八重樱、迎春花、紫藤本是夜间开放的，它们的颜色和形状无法看得太分明。但是，花朵和叶子的气味，比眼前所见给人更深刻的印象。

"哎，晴明……"

博雅望着夜幕下的庭院开口道。

"什么事？"

晴明应道，他的红唇带着若有若无的笑意。

"并不是只有眼见之物才存在啊。"

"你指的是什么？"

"比如说，紫藤就是。"

"紫藤？"

"虽然看不见它开在院子里的什么地方，却飘来令人心醉的香气。"

"嗯。"晴明静静地点点头。

"你和我也是一样嘛，晴明……"

"哦？"

"今天见面之前，我们处在不同的地方，对吧？虽然待在彼此看不见对方的地方，但一见面，我们又在这里喝上了。就算见不着对方，我们都确实存在着，对吧？"

"嗯。"

"就说紫藤，它的香味也是一样。虽然眼睛没有看见，但它的香味是不容置疑的。"

"你想说什么，博雅？"

"就是说嘛，晴明，我觉得所谓生命也不过如此吧。"

"生命？"

"对呀。例如院子里长着草，对吧？"

"嗯。"

"但就以野萱草而言，我们看见的，也不是野萱草的生命。"

"什么意思？"

"我们看见的只是它的颜色、它的形状，不是看见野萱草的生命。"

"噢。"

"我和你也是一样。我此刻只是以人的模样，看着一个我熟悉的叫晴明的男子的脸，我并没有看见叫晴明的那个生命本身。你也同样，所看见的只是一个叫博雅的男子的模样和色彩，也不是看见我的生命本身。"

"没错。"

"明白吗？"

"然后呢？"

"'然后'是什么意思？"

"接下来你得说'因此就怎么样怎么样'吧，博雅？"

"没怎么样，就是这样而已。我只想说，尽管眼睛看不见，生命还是存在。"

"博雅，你刚才说的话真是很了不得。那些阴阳师或者僧人，明白这个道理的人也是极少数。"

"是这样吗？"

"就是这样。明白吗，博雅？你所说的，关系到咒的根本问题。"

"还是咒？"博雅皱起眉头。

"是咒。"

"等一等，晴明，我刚刚好不容易明白点，正心情愉快地喝酒呢。你一提到咒，我的好心情一下子就无影无踪了。"

"不用担心，博雅，我会用你明白的方式说……"

"真的？"博雅半信半疑地端起酒杯一饮而尽，放下杯子。

"嗯。"

"好吧，我已经做好了准备。晴明，我会用心去听，拜托你说得尽量简短。"

"应该的。那就从宇宙说起吧……"

"什么是宇宙？"

宇，即天地、左右、前后——也就是说，是空间。

宙，即过去、现在、未来——也就是说，是时间。

将之合而为一，作为认识世界的词汇，此时已为中华文明所拥有。

"人为了理解存在于天地间的事物，使用了咒的概念。"

"啊?！"

"也就是说，人是运用咒的手段，来理解这个宇宙的事物。"

"什、什么？"

"换个说法也行：宇宙是由于人看见它才存在的。"

"不明白。我不明白呀，晴明。你不是说要说得让我能懂吗？"

"那就来谈谈石头吧。"

"哦，谈石头吧。"

"是石头。"

"石头怎么了？"

"例如，有个地方有一块石头。"

"噢，有一块石头。"

"它还没有取'石头'的名字。也就是说,它还只是一块又硬又圆、没有名字的东西。"

"但是,石头不就是石头吗?"

"不,那东西还没有成为'石头'。"

"什么?!"

"人看见了它,给它取名为'石头'——给它下了'石头'这个咒,石头这东西才在这个宇宙里出现。"

"不明白。比如说,不管有没有人给它取名,它从前就在那里,以后也在那里吧?"

"对。"

"既然如此,那东西是否在那里,与咒之间就没有关系了嘛。"

"然而如果不是'那东西',而是'石头',就不能说没有关系了。"

"不明白。"

"那么,那块石头到底是什么?"

"什么?!"

"石头首先就是石头。"

"噢。"

"假定有人拿它砸死了人。"

"噢。"

"那时石头就成了武器。"

"你想说什么?"

"它虽然只是块石头,但通过一个人拿它去打另一个人的行为,那块石头就被下了'武器'的咒。以前也举过这个石头的例子。你怎么看?这样的话,明白了吗?"

"明、明白……"博雅勉强点点头,"跟那个例子一样的道理。"

"什么道理一样?"

"就是说,最初只是躺在地上的又圆又硬的东西,仅仅就是那个东西，它什么也不是。但是，它被人看见了，被加上了'石头'的名字。也就是说有人给它下了'石头'的咒，这世界上才出现了石头——这样说可以吧？"

"不可以。"

"什么东西不可以？哎，晴明，你不是想蒙我吧？"

"没打算蒙你。"

"不，你有这个打算。"

"好吧，那就来谈谈和歌也是一种咒。"

"和歌？"

"对。心里有说不清道不明的东西，弄不明白到底是什么。于是把它写成和歌，抓来捆绑在语言上，终于弄清楚了。"

"弄清楚什么？"

"就是'原来我们在喜爱着谁'那种感觉。有时候，人们必须在这种感觉上加上'和歌'这种咒，使之成为语言，这样才能明白自己的心思……"

"所谓咒，是语言吗？"

"噢，算是吧。很接近。"

"接近？"

"虽然很接近，但语言本身并不是咒。"

"那又是为什么？"

"因为语言只是承载咒的容器。"

"什么？！"

"所谓咒，暂且先以神来比喻吧。咒，是奉献给神的供品。所谓语言，就是承载这份供品的容器。"

"我不明白，晴明。"

"有了悲伤这个词，人们才能将心中那样一种感情，装载在这个叫悲伤的词之中。悲伤这个词，本身并不是咒。只有承载了心中那样一种感情，这个世界才产生了称为'悲伤'的咒。咒并不能单独存在于这个世上。语言也好，行为也好，仪式也好，音乐也好，和歌也好，只有被这些容器所装载，这个世界才产生了咒。"

"噢……"

"比方说吧，心爱的人啊，我见不到你，每天都很伤心——这样说的时候，你能从伤心那个词中，仅仅取出伤心的感情，把它给人看吗？"

"……"

"或者相反，不用语言、不用绘画、不呼吸、不喘粗气、不做任何事，你可以把'伤心'这东西传达给别人吗？"

"……"

"语言与咒，就是那么一种关系。"

"……"

"也就是说，这和生命本身不能从你我身上取出、展示给他人是同样的。"

"……"

"生命这东西，只有存在于你我呀、那边的花草呀、虫子等所有生物之中，才能看见，才能呈现在这个宇宙之中。没有这样的容器，显出'生命'本身、让别人感觉到你的'生命'等，都不可能。"

晴明微笑着说道。博雅显得愤愤不平。

"你看，还不是像我说的那样吗？"

"什么那样？"

"你一谈咒，不出我所料，我就变得糊里糊涂的了。"

"不，你很明白。"

"但是，我刚才的好心情好像已经不知所踪了。"

"对不起。"

"不必道歉。"

"但是，博雅呀，我刚才吃了一惊。你不依赖复杂的理论和思考，就直截了当地抓住了事物的本来面目，能做到这一点的人极少有啊。"

"你这是夸我吗？"

"这是理所当然的吧。"

哼哼……

"放心了。"博雅盯着晴明的脸看，然后喃喃道，"虽然说不出所以然，不过我觉得你像是真的在夸我。"

"与其听阴阳师的无聊戏言，不如听你的笛子心情更舒畅吧……"

"可是，晴明，去年也是这样，到了这个时节，我一下子就回想起那件事情。"

"哪件事？"

"就是前年举办歌会的事。"

"对呀，那场歌会也是这个时节的事。"

"三月三十日——那时候，也是樱花盛开，紫藤和迎春花也开了……"

"说来，就是玄象被盗那年啊。"

"那时候，为了取回被异国之鬼窃走的琵琶玄象，我和你不是还去了罗城门吗。"

"对。"

"刚才你谈到和歌什么的，我又回想起壬生忠见大人的事了。"

"是那位吟诵'恋情未露'的忠见大人吗？"

"你刚才说的事，让我联想到忠见大人。真叫人无可奈何啊。"

"我刚才说的事？"

"你不是说和歌是咒吗？"

"是那个啊……"

"歌会进行的时候，我也够狼狈的……"

呵、呵、呵……

晴明见博雅挠头，拼命抑制住笑声。

"博雅，你当时把和歌念坏了吧。"

"请你别提那事。"

"是你先提的呀。"

"我怎么就非提这事不可呢！"

"这可别问我，博雅……"

博雅扬起头，望向昏暗的庭院深处，仿佛想起了什么事。

"那个星光灿烂的晚上，我觉得已是梦中发生的遥远的事情了。"

"所谓宴会，过后再看的话，即便是昨夜之事，也觉得好像是发生在遥远的从前。"

"嗯。"博雅直率地点点头，自言自语般嘟哝道，"真的像你说的那样啊，晴明。"

三

天德四年三月三十日，宫内歌会开始于申时——下午四点左右。地点在清凉殿。

自当日的清晨起，藏人所的杂役来到这里，忙着布置会场。

清凉殿西厢的七个房间一律挂新帘子，中央是圣上的御座，放御椅。御椅左侧放置屏风，有一张放东西的桌子。

御椅左右是女官的座位，在连接清凉殿和后凉殿的渡殿，设置了以左大臣藤原实赖和大纳言源高明为首的、左右上达部的公卿的席位。

正式记录中表明，圣上出现并于御椅就座，是在申时。《御记》有记录。

首先是左右两方向天皇呈上和歌的沙洲型盆景。

这是模拟水湾沙洲的盆景，有两种，分别是书案型盆景和签筒型盆景。一个是放置未朗诵的和歌，另一个放置已朗诵完毕的和歌。

左右两方各预备了书案型盆景和签筒型盆景，所以共有四个。放在天皇面前的是书案型盆景，双方将各自的和歌放在上面。签筒型盆景放在两方旁边。

还有一点须特别指出，歌会时，左右两方的衣饰颜色是分开的。左方着红，右方着绿。甚至连所焚的香，也左右有别。

关于这一天的歌会，许多人或作了记录，或写在日记中。左大臣写了歌会的裁判记录。天皇命人写下了正式记录《御记》。藏人私人撰写了天皇实录《殿上日记》。另有数种以假名撰写的《假名日记》。

其实应该还有更多关于这次歌会的私人日记。记载之多正好反映了人们对这次活动倾注的热情。

各人根据所见所闻写下的记录，多少各有差异，有时，某人接触之事，是其他人完全没有接触的，所以有关这一天的诸多日记，共同反映了这一天的歌会。

一位假名日记的作者，这样记述了当日的盛况：

左方，典侍着红色樱袭唐衣，配纱罗褶裳，命妇和藏人着红色樱袭，配上淡下浓之紫裳。焚香为昆仑方。右方，着青衣，配相同之紫裙。焚香为侍从。日晴则歌会迟。左方既迟，右方先进盆景。盆景以沉木为山，以镜为水，浮以沉木之舟。银制河龟二，龟甲内夹色纸，上书和歌。花足以沉木制，金色。浅香木为座。覆以柳及鸟形之刺绣。垫浅缥绮……

高贵华丽的情景仿佛历历在目。

左方的典侍着红色樱袭唐衣，配纱罗的褶裳；命妇和藏人着红色樱袭唐衣，配上淡下浓的紫裳。而右方则一身青绿。

左方的盆景台，是浅香材为底托，以沉香木做花足案承载，不是用单一材料做成。

与左方重视材质木纹及颜色相对，右方着重强调香木的珍贵。而且材质的色调，右方以青色为主。

左方盆景的遮盖，花纹与底托相同，是苏木红的浓淡混合的花纹绫，绣有紫藤枝和五首草书的和歌。

右方的遮盖用与底托同一系列的青裾浓花纹绫，绣柳枝，也遵守花纹与色调的统一和对比。紫藤对柳枝，左右方均使用了与本次歌会题目相关的刺绣，可谓用心良苦。

这些盆景的底垫，左方为紫绮，右方为浅缥绮，这里也维持了左红右绿的色调。

左右方的盆景埋石为山，以镜为水，这点是相同的，但左方的盆景中站立着银鹤，右方的盆景放置了银龟，旨趣各不相同。左方盆景的旨趣，是站立的银鹤嘴衔迎春花枝条，花朵以黄金打造；与之相对，右方的银龟夹着色纸，上书和歌。

左右方都依据题意，将咏花的和歌夹在盆景的花木中，咏鸟的和歌衔于鸟嘴，咏恋情的和歌置于渔舟篝火。

金、银、紫檀，用当时最昂贵的材料，极工艺之精妙，再加灵动的巧思，制作了这样的盆景。

就这样，日暮时分，点起篝火，享用着美酒佳肴，开始了歌会盛事。

歌会最高潮时，发生了两件事。其中之一与源博雅有关。

博雅是右方的讲师——也就是说，他被右方选为朗诵和歌的人。

这时候，博雅居然弄错了要朗诵的和歌。以莺为题的和歌要朗诵两首，但博雅跳过了一首，朗诵了下一个题目的和歌，是咏柳的。

和歌竞赛规定不允许重来。

"失序者为负。"

因为担心次序弄乱，读错的、漏读的，两者均视为负。

殿上日记有载：

白玉缺，仍可磨。今日之谓也。

《诗经》上有这样的话：白玉即便有欠缺，仍然可以打磨，但说话有错误，就无可挽回了。这话就像是说今天发生的事啊——博雅这样评价道。他当时一定相当狼狈，直冒冷汗吧。

另一件事，发生在歌会最后对决之时。左方壬生忠见的和歌，与右方平兼盛的和歌实力相当，连担任裁判的藤原实赖也难分优劣。

忠见所作的左方和歌为：

恋情未露人已知

本欲独自暗相思

兼盛所作右方的和歌为：

深情隐现眉宇间

他人已知我相思

题目是《恋情》。这是最后第二十首的较量。

藤原实赖抱着胳膊沉吟之时，左方的朗诵者源延光又大声念起来：

"恋情未露人已知，本欲独自暗相思……"

于是，右方的朗诵者源博雅以盖过源延光的音量吟诵己方作品：

"深情隐现眉宇间，他人已知我相思……"

但无论怎么使劲，依然难分高下。实赖为难之下，上奏天皇。

"两方所作和歌均极优秀，实非臣能断言一方为胜、一方为负。"

但是，圣上毕竟是圣上，不会说"那你就判双方平手"这样的话。

"实赖呀，我明白你的意思。双方的作品都很好。不过，即便这样你也要分出胜负啊……"

"俱为佳作，仍须裁定。"圣上说，你还是作个决定吧。

担任裁判的左大臣实赖被难住了，无奈之下，打算把裁决的职责让给右方的大纳言源高明。

"高明大人，您意下如何？"

源高明大纳言一直弯着腰，脸上堆着殷勤的微笑，就是不吭声。

这期间，左右两方的人此起彼伏高声朗诵着本方的作品。

实赖一直在窥探圣上属意于哪一方，但却一无所获。一想到万一自己的选择与圣上的意愿相左，他就无法拿主意了。

但是，此时圣上正小声嘀咕着什么。实赖竖起耳朵偷听，天皇似乎是在念叨着和歌。

"悄吟着右方的和歌。"实赖自己记的裁判记录上写着。圣上是在念平兼盛的"深情隐现"句。源高明也听见了。

"天意在右啊。"

高明向实赖悄语：似乎圣上喜欢右方的和歌。

于是，实赖终于下了决心，判右方获胜。

结局是——左方十二首获胜。右方三首获胜。平分秋色的五首。

即便没有源博雅读错两首的次序，因而判负，左方仍获大胜。

比赛结束，盛大的宴会开始了。美酒佳肴，欢歌笑语，能摆弄乐器的人都一显身手。

某假名日记的作者写道：

> 夜深，胜负已定，乘兴玩乐。众人欢聚一堂，管弦之声不绝。
>
> 左方，左大臣弹筝，朝成宰相吹笙，重信大人舞蹈，藏人重辅吹笛。之后实利朝臣唱歌。琵琶伴奏。
>
> 右方，源大纳言弹琵琶，雅信宰相跳舞，大藏卿伴奏，博雅大人吹筚篥，之后繁平弹筝，公正唱歌。笛子伴奏。

博雅此时还弹了和琴。他的音乐才华出类拔萃，作过《长庆子》的曲子，颇得女官们的好评。

没有不散的筵席。《殿上日记》这样记述宴终的情景：

> 东方既白，仪式结束，大臣以下，歌舞退出。

宴会持续到黎明时分，天皇已回深宫。不久，大臣以下，众人载歌载舞地离开了。

就这样，一场名留青史的歌会就结束了。

不想后来发生了一件事。因为这件事，这次天德四年三月的歌会，就更为深刻地铭记在历史上了。

左方进行最后一个回合的赛事的作者，与右方的平兼盛一争高下的壬生忠见死了。

忠见的"恋情未露"和歌，与兼盛的"深情隐现"和歌比拼胜负，失利之下遗憾万分，郁郁不解，转成"拒食症"，以至衰竭而死。

壬生忠见变成了鬼，夜夜出没于宫内。

四

"所以说呀，晴明……"博雅边饮酒边说，"一到这个时候，我就必定想起那次宴会和忠见大人。"

虽已时隔两年，但博雅似乎仍未与过去的岁月拉开适当的距离。

只有些微风。夜色中，庭院的杂草开始轻轻摇曳。博雅贪婪地呼吸着充满植物芬芳的大气，浅斟慢饮。

"竟然还有那样的鬼啊……"他叹息。

"鬼？"

"忠见大人的事嘛。"

"忠见大人嘛……"

"圣上知道忠见大人鬼魂的事，是在什么时候？也许是一年之后吧……"

"他那种地位的人，对那些无聊事——像宫内闹鬼那样的事，在乎得很吧？"

"'他'是谁？"

"圣上啊。"

"喂，晴明，我以前不是跟你说过，别管圣上叫'他'吗？"

"哦？"晴明无所谓地微笑着。

最先因为壬生忠见的鬼魂而闹事的，是那些工匠。

五

源博雅为壬生忠见鬼魂之事拜访晴明，是在应和元年春天，也就是天德四年那场宫内歌会约一年后。

像往常一样，博雅和晴明在向着庭院的外廊内相对而坐。

距八重樱开放之期尚早。庭院深处的山樱已是花团锦簇，花压枝低。淡桃红色的花瓣，无风之时也一片片悄然坠落。一片飘落，尚未着地之时，另一片已离枝。

这是一次不期而至的拜访。博雅不带随从，独自步行过来。他虽为朝臣，偶尔也有这样率性的举动。

时值上午。正是院里杂草叶尖凝着露珠，还没有干掉的时候。

"不碍事吧？"博雅问晴明。

"中午有一个客人来，在此之前有时间。"晴明望望博雅，后背往柱子上一靠，接着说，"有事的话，说来听听。"

"忠见大人的怨灵出现在宫内，想必你已知道？"

"就是壬生忠见大人的鬼魂那回事吗？"

博雅点点头。"没错。"

壬生忠见是壬生忠岑的儿子，后者作为《古今和歌集》的编者之一闻名遐迩，他作为歌人，死后被列为三十六歌仙之一。

天历三年——从天德四年的歌会算起，七年前举办歌会时，忠见也为多个题目创作了和歌，两次歌会之间，他还好几次在其他歌会上推出作品。称为歌会专家有点难听，但这样的歌会人才，相应的名气也不小吧。

他年约三十出头，是个小官，任摄津的大目，属于地方职位。以官阶而言是从八位上。

他没有钱，上京参加歌会时，住在朱雀门的曲殿。所谓曲殿是大门警卫睡觉的地方，说白了，就是门卫的值班室。他以暂借一席之地的方式，栖身在那里。这一点，正好说明壬生忠见在京城里连个把熟人也没有，没有人照应一下他的落脚点。金钱方面肯定也相当困窘。

他一定是在摄津听说了歌会的事，饥一顿饱一顿地赶到京城，推销自己的和歌。对于像忠见这样的低级官员，歌会正是难得的机会，让他们获得公卿大臣的认可，争取额外的收获。

壬生忠见的怨灵出现在宫内，是去年春天宫内的歌会结束后不久的事。

忠见自歌会结束的第二天起，就病倒了。他患了拒食症——食不下咽，日见消瘦、衰弱。如果硬把食物塞进他的嘴里，就会呕吐。即便好不容易喝了一点稀粥，还是马上就吐出来。只有两眼闪烁着异样的光芒。

人们纷传，原因在于他的"恋情未露"和歌负于兼盛的"深情隐现"和歌，使他心气难平而致病。

兼盛和忠见年龄相差无几，都是三十岁出头。

兼盛特地去探视此时的忠见。忠见看上去已瘦成皮包骨的模样。

兼盛到访时，忠见正躺倒在铺稻草的地板上。

"恋情、未露……"

他缓慢地欠起身，小声吟诵着自己的和歌：

"……人已知，本欲独自暗相思。"

忠见的脸向着兼盛的方向，眼睛却没有看兼盛。看样子他没有换过衣物，也没有洗过澡，身上散发出动物般的臭味。

"他简直是要变成鬼了。"

据说兼盛从忠见处回来后，这样说道。

歌会后过了半个月，忠见死了。说是他瘦成了幽鬼的样子。抱起他的遗体时，身子的重量还不到病倒前的一半。

不久，忠见的怨灵变成了鬼，出现在宫内。

夜半三更之时，忠见之鬼便出现在举办歌会的清凉殿附近。

"恋情未露……"

他用沙哑凄楚的声音吟咏着自己的和歌，边吟边走过仙华门，穿过南院，在紫宸殿前消失。

忠见的鬼没有干什么坏事。他出现、吟诗、轻飘飘地走过，然后消失。仅此而已。看见的人不多。值夜的人偶尔看见罢了。

害怕是害怕，但因为出现也不多，这件事甚至某种程度上被当成了玩笑。

"忠见今晚有何贵干呀？"

"是在苦吟新作吧。"

在知情人中间，对忠见一事有默契：只要不传到天皇耳边就行。

"结果，圣上最终还是知道了。"博雅说道。

"好像的确是这样。"

晴明右手托腮，点点头。

"怎么，你也知道了？"

"是因为工匠们看见了，对吧？"

"没错……"博雅点点头。

谁都知道，此时清凉殿来了很多工匠，在那里干活儿。因为去年秋天打雷起火，烧着了清凉殿。修复工作从去年起一直从早到晚在宫内进行。

"可是，圣上急于把它修好……"

约十天前起，好几个工匠深夜仍未离去，要把能赶出来的功夫都用来赶工。现场燃着篝火，有时要赶工到深夜。

那一次——据说在六天前的晚上，偶尔留下来的三名工匠看见了忠见。

不知从什么地方传来了声音。开始以为是幻听所致，再侧耳倾听，的确是人的声音。一个男子用沙哑的声音吟诵着：

"恋情……"

随之，从仅修好一半的清凉殿阴暗处，出现了一个身上发着惨白磷光的人影。

人影吟着和歌，缓缓地从黑暗中轻盈地走过来，好像完全没有察觉三名工匠在场一样，通过了那个地方。

"未露人已知……"

人影边吟边转向左边。

"本欲独自暗相思……"

折向紫宸殿方向后，消失了，身后只留下沉沉的黑夜。这样的情况持续了两个晚上。

壬生忠见的怨灵变成鬼出现，夜夜吟诵着自己的和歌，在紫宸殿的方向消失……这个说法传到了天皇耳朵里。

"然后呢？"晴明问道。

"圣上对此大为紧张呢。他下令让……"

博雅眼珠子向上翻翻，看了看晴明。

"让我去？"

"对。"

"我嘛，也见过忠见的怨灵几次，但他是无害的。他不向外，全都是向内的。让他留着，在某种情况下还是有用的。"

"你这是什么意思？"

"也就是说，因为整个宫内的气脉，包括忠见在内都很平稳。如果驱逐了无害的东西，破坏了稳定，反而有可能发生怪事，有可能被更加不好的妖魔鬼怪附体呢。"

"晴明，既然你这么说，此话应不假。可是问题是圣上并不是那么想的……"

"他……"

"喂喂，不是说过不要那样称呼了吗？"

"让式神每天晚上到他那里去，在他耳边小声叮嘱：别管忠见，就让他那样好啦——好吗？"

"要是暴露了，你可有性命之虞啊，晴明。"

正当博雅说话之时，一名身穿唐衣的女子从对面婀娜地走过来。

她来到晴明跟前，略低一低头行礼说："您约的客人到了。"

"带他过来。"

晴明说完，那女子又低头行礼，循来路离去。

"那么，我且退下吧……"

博雅想站起来。

"不必，博雅。你就在那里好了。因为这位来客所要求的事，与你刚才说的情况不无关系。"

"这是怎么回事？"

"因为客人是壬生忠见的父亲，壬生忠岑大人。"

六

壬生忠岑穿着陈旧褪色的窄袖便服，端坐在晴明和博雅面前。

这位老人年已八十有半的样子。两鬓雪白，看上去像一只猿猴。

晴明介绍了博雅之后，忠岑小声说：

"您是歌会时右方的讲师吧。"

壬生忠岑曾做过泉大将藤原定国的随从，为是贞亲王歌会、宽平御时后宫歌会、亭子院歌会等创作过和歌。他作为歌人的实力获得认可，被任命为《古今和歌集》的编选者之一。

延喜五年在平贞文歌会中，左方的第一首和歌是他的作品：

春来吉野山
今朝影朦胧

此作被选为《拾遗》的卷头歌。

同年，他为泉大将藤原定国的四十大寿献屏风歌。又过了两年，宇多法天皇行幸大井川，忠岑扈从，吟诵了和歌，留下了有别于纪贯之的《假名序》。

在《古今和歌集》以前的歌会中，忠岑留下了不少与纪友则等人并肩的作品，但自延喜七年为大井川行幸献上和歌之后，他就再没有留下作品了。

博雅当然知道这位歌人的大名。

"是的，我担任了讲师。"博雅回应道。

博雅官至三位，忠岑官至六位。这样的身份差别，一般不可能同坐于廊内正面相对，但在晴明的宅院里，这样相处变得理所当然。反而显得博雅尊敬年长且已负歌人盛名的忠岑。

"忠岑大人……"晴明将视线移向壬生忠岑，"这位博雅大人也是为了同一件事过来的。"

"哦，是为了忠见的事？"

"是的。"晴明予以肯定。

"那么，博雅大人也知道圣上要下旨镇住忠见之灵？"

"是我带这道圣旨来给晴明的。"

听博雅这么说，忠岑叹了口气。

"唉，真是……"

"您有什么隐情吗？"博雅问。

"博雅，忠岑大人请求是否可将第二十首和歌的赛事，换一首和歌再比赛一次。忠岑大人说，这是镇住忠见怨灵的最佳办法。"

"再比赛一次？"

"当然是私下进行即可。如果兼盛大人答应，加上兼盛我们四人就行。裁判由晴明大人担任，讲师则与那一晚相同，是博雅大人……"

"但是，为什么要这样做呢？"

博雅这一问，忠岑便深鞠一躬，说：

"说实话，其实那首'恋情未露'，并不是忠见所作。"

"是代作吗？"

"是的。"

忠岑点点头。

"但是，代作并不稀奇。迄今许多人的歌会之作，都是他人代作。仅此并不足以成为重赛的理由……"晴明说道。

情况正如晴明所说，这一时期拿到歌会上的作品，未必都是作者本人的创作。许多歌人把别人吟咏的和歌当作自己的作品推出，这样的做法很普遍，也是被认可的。

"但是，说是代作，在此我却要老实说出来，创作那首和歌的其实是鬼。实在是很丢脸啊。"忠岑满脸惭愧地说道。

"鬼？！"博雅不觉叫了一声。

"是鬼。而且不仅是那首和歌，那天晚上忠见所有的和歌——不，迄今我和忠见在歌会上吟诵的所有和歌，其实都是鬼吟诵的。"

忠岑像是豁出去了，一口气说完，这才打住。

"全部……都是鬼？"博雅问。

"是的。"

"怎么会有这样的事？"

"说来话长。我初次遇鬼，是在宽平三年的春天……"

"那么说——"

"是距今七十年前，我十八岁的时候。"

忠岑喉间带着痰音说起来。

七

我生于贫困的地方官之家……

壬生忠岑开始叙述。

自幼便深切体会到贫困的滋味，从明白世事起，便有了进京谋求更高官位的心愿。

"卑微的小官真的很糟，不做到高级的官位，不可能过上像样的日子。"这是父亲经常念叨的话。

忠岑喜欢创作和歌，虽然不是高手，但好歹也算自幼能吟咏和歌。

他千方百计想以创作和歌为进身之阶，只要有歌会之类的机会，便到处找门路推销自己的作品，然而都失败了。

只要有钱，便能托上更大的人情、门路，也能推销自己的和歌，但他既没有钱，也没有门路和熟人。

我降生在一个什么家庭啊！忠岑甚至诅咒过父亲的窝囊，但后来，他明白自己并没有创作和歌的才华。

好歹能咏歌，但毕竟只是还算不错，实在不是歌会那样的场合拿得出手的。

不过，是否好歌，他还是能明白。只要听过，就能判断出那首和歌的高下，分得出是好歌还是坏歌。他察觉到这一点，因此也能估计自己的歌才大致在何种程度。

"具备辨别和歌好坏的眼力和创作和歌，看来是两回事啊。"忠岑叹道。

那一年，忠岑来到京城推销自己的和歌，但心愿未酬，更痛感自己没有创作和歌的才华。

钱花光了，回乡不成，他上了比叡山。

跟和歌分手吧。只要能回故乡，再也不进京，再也不作和歌了。

他边上山边想，泪流满面。

当时是春天，是山樱盛开的时节。山路上沿途开满樱花。花团锦簇压枝低，花瓣在没有风的时候也散落下来。

满山嫩绿之中，置身山樱盛开的一角，仿佛被轻盈的白光包围。多美啊……

自己除了和歌之外，别无他能。自己唯一的才能又比他人低劣。忠岑如此年轻便知道了自己的才具。雪白的樱花，在他眼里呈现一派伤心之色。

正当此时——

他听见了不知从何而来的、仿佛是神的声音。

　　新芽嫩绿蔚成霞
　　离枝尤香是樱花

好歌。而且似曾相识。

那么，是在哪里听过?

正寻思时，又听见了吟咏同一首和歌的声音。

有人在吟诵这首和歌吗?

那声音好像发自眼前盛开的樱花，也似来自头顶上的樱花树梢。

但是，既没有人攀上樱树，附近也没有人迹。

对了，是《万叶集》吧……

《万叶集》的无名氏作品中，应有这首和歌。

忠岑为了应和那个又传过来的声音，自己也吟诵起那首和歌。

当那个声音说："新芽嫩绿蔚成霞——"

忠岑便接上道："离枝尤香是樱花。"

从树干上方传来愉快的哈哈笑声。可是，左看右看，都不见人影。难道是看不见身影却喜欢和歌的鬼吗？

难道是鬼对这山中盛开的樱花美景一见忘情，情不自禁地脱口吟出了佳句？

就算真的是鬼，忠岑也不觉得害怕。当时的事仅此而已。

回到摄津国，几天后的某个夜晚，忠岑正独自苦吟。他想创作和歌。

夜已深。但是，越是苦思冥想越不得要领。

自己没有这方面的才华——似乎自看透这点的那一刻起，他比之前更加难得好词句。

"入春——"

忠岑试说出第一个词组，感觉还不坏。

其后应接上"惹愁思"呢，还是其他表达？他迟疑不决。

"入春——"

再次把同一词组说出口时，一个声音不知从何而来：

"即念吉野美——"

"吉野美？"

忠岑刚一接口，马上有一个声音结句："山绕飞霞心中现。"

"入春即念吉野美，山绕飞霞心中现。"

得一佳句。

"是谁？"

忠岑一出声，那个声音便道："是我是我。"

"你？"

"是我。前不久，我们不是还在比叡山相会了吗？"

"那时候……"

那声音没有回答这个问题，又说道："我为你作和歌怎么样？"

"作和歌？"

"对。你当时不是在想，自己没有作和歌的才华吗？"

"照此说来，你不就是鬼吗？"

"对呀。我就是你们所说的鬼啦。但我并不是一开始就是鬼呀。"

"啊……"

"你知道《万叶集》里的那首和歌：'新芽嫩绿蔚成霞，离枝尤香是樱花'吗？"

"当然知道。那天在比叡山的樱树下，你吟诵的不就是这首和歌吗？"

"这首作者列为无名氏的和歌，正是我的作品。"

鬼的声音大了起来。

"怎么……"

"我作的和歌流传世上的，除此之外还有一两首，而且都列为'作者不详'。这是多么可悲的事啊。我实在是太恼火啦！"

说着，鬼的声音变得高起来。

"怎么能够容忍这样的事?！"

呜呜！嗷嗷！

鬼放声痛哭。

"我死后，因为执着于和歌，死不瞑目而变成了鬼啊！"

即便是鬼，一见美丽的樱花，就自然地将自己所作的和歌吟诵出来——那声音，也就是鬼，说道。

"你不想参加歌会？"

"想倒是想。"

"既然如此，你就让我来写和歌。我代你作，你可凭这些和歌参加歌会。"

"行得通吗？"

"没问题，因为是我作的。"鬼说道。

鬼又劝忠岑：你好像想过不再作和歌了，对吧？不如接受我的提议，怎么样？让我一显身手吧。你以参加歌会为乐，我则以自己的作品在歌会上被朗诵为乐。这样岂不两全其美？

迟疑再三，忠岑最终听从了鬼的话。

之后，每当传来举办歌会的消息，鬼便找上门来。

"我来啦。"鬼打招呼。

"这次拿出什么作品好呢？对了，这个怎么样？"

鬼兴高采烈地创作起来。

一年如此，三年仍是如此……

"最终，连儿子忠见也被鬼附了体，直至今天。"

忠岑对晴明和博雅说。

八

"原来如此，情况已大致明白了。现在那鬼的情况怎么样？"

听完忠岑的叙述，晴明又问。

"它和忠见一起来京城之后，直到现在，将近一年都杳无音信，不知道它在哪里，在干什么。"忠岑回答。

"是这样……"

"不过，事情至此还没有结束。"

"还有什么事？"

"请看一下这个好吗？"

忠岑从怀里取出一张纸片，递给晴明。

晴明打开纸片，看里面的内容。上面写了一些字，像是和歌。

一看纸片，晴明不禁称奇。

"究竟是什么？"

从晴明身边探头窥视的博雅也不禁喊叫起来。

纸上写的是这样的和歌：

　　　眉宇之间隐深情

　　　人问是否我相思

"晴明，这不是……"博雅说道，"和兼盛的和歌一模一样吗？"

"的确一模一样……"

"怎么会这样呢？"

"忠岑大人，这究竟是怎么回事？"晴明问。

"那是我编纂《古今和歌集》时，没有收入集中的许多和歌作品之一。"

"它为什么会和兼盛的和歌一模一样呢？"

"不是它与兼盛的和歌一模一样，而是兼盛的和歌跟它一模一样。"

"也就是说，兼盛的和歌以此作为原歌，仿作了'深情隐现'的和歌。"

"是的。"

"担任裁判的实赖大人或圣上知道这件事吗？"

"恐怕不会不知……"

以某一和歌为原歌，模仿原歌另作——这种被称为"摘取原歌"的手法，在当时是普遍的做法之一。但歌会上若出现这样的和歌，无论多么好，评价都很低。尤其是与对方的和歌难分高下时，如果一方的和歌是没有原歌的新作，当然是新作获胜。也就是说，以此看来，兼盛的和歌应输给忠见的"恋情未露"和歌。然而兼盛却是胜者。

"不过，这件事兼盛大人没有责任。"忠岑说。

如果有人应为此事受到指责，那就不是兼盛，而是担任裁判的藤原实赖，或者是推崇兼盛之作的天皇。此事与他们的和歌修养有关，裁决是根据天皇的意志，但是又不能对天皇说：你错了。

"事情就是这样。"

晴明抱起胳膊，凝神闭目。过了一会儿，他睁开眼睛，说道：

"总之，我们三人先去见一次忠见大人，应该没有错。"

"我们来努力一把的话……"

"成不成尚是未知之数呢。"

"那么该怎么办才好？"

"究竟会怎么样，看今天晚上。忠岑大人且先观赏一下京城里的樱花什么的，请晚上再到这里来。"

"打扰了。"

"博雅，你也可以吧？"

"当然。"博雅答道。

"那么，忠岑大人，您走之前请把一个东西带在身上。"晴明说道。

"是什么东西？"

"是类似护符那样的东西。只要有这件东西，你尽可放心地在京城里走动。"

晴明扬起头，"啪啪"地击三下掌，说道：

"青虫呀青虫，把我的文具准备好。"

随即，刚才来报告忠岑来访的女子，挽着唐衣的衣裾出现了。她手上拿着砚盒、纸张。

晴明自己研墨，然后取过纸笔，将纸举起，让博雅和忠岑看不到，挥笔刷刷写下几个字。等墨汁干了，晴明把纸片折叠几次，说道：

"好，把它放在怀里，放心观赏樱花吧。"

忠岑一边接过纸片，一边问：

"非得赏樱不可吗？"

"也不是跟晚上的事全无关系，所以务必……"

"明白了。"忠岑将折好的纸放入怀里。

"哎，博雅，到傍晚还有时间，趁着现在让青虫买酒回来吧。"

"买酒？"

"对，因为等待忠见大人的时候，会觉得冷。"

晴明朗朗地说道。

九

紫宸殿前，四周被黑暗笼罩。月亮高悬天上，洒下满地青光。只有大门和建筑物的背光处黑糊糊的。

地上铺了垫子，晴明、博雅、忠岑坐在垫子上。各人手中端着酒杯，饮酒。斟酒的是青虫。

"怎么样，博雅？幸好备了酒吧？"

"对、对……"

博雅表情勉强地点点头。

夜深人静。工匠们今晚没有一人留在清凉殿。听说有忠见的亡灵出现，众人都在天黑前走了。

"忠见大人今晚会出来吧？"博雅问晴明。

"会吧。"晴明端起酒杯。

不久，从清凉殿方向冒出一个高亢的声音：

"恋情未露……"

"来了……"晴明小声说。

"人已知……"

声音缓缓地接近。不仅仅是声音。某种动静也随着那声音一起向紫宸殿方向移动过来。

"晴明，是忠见大人……"博雅压低声音说。

月光下出现了一个人影，发出朦胧的磷光，从清凉殿方向走过来。

一步，两步……

左右脚缓缓地交替迈向前方，壬生忠见慢慢走来。

"本欲独自……"

细弱的尾音长长地拖着。

"忠见！"

忠岑向儿子打招呼，但忠见的视线没有任何变化，仿佛这边空无一物——他只看得见自己。

他只是走着，眼睛凝望着虚空。

"暗相思……"

最后的声音在月光下拖曳，仿佛蜘蛛丝细长地延伸，然后消失。在声音消失的同时，忠见的模样也消失了。

博雅茫然呆立。

"竟有那样的鬼吗，晴明……"博雅喃喃地叹息道。

此时——

"忠见……"

紫宸殿前，掩面站在忠见消失之处的忠岑小声呼唤着儿子的名字。

"忠见，忠见呀……"

声音奇特。并不是之前忠岑的声音。

"忠见，忠见，你变成那个样子了吗？忠见啊……"

他抬起头来，双眼在月光下闪烁。是泪光。忠岑在哭泣。

"忠岑大人——"

博雅想走过去，被晴明阻止。

"等等，博雅。那人不是忠岑大人。"

"你说什么？"

博雅僵住了，他细看原以为是忠岑的男子的脸。

那男子嘴巴歪着，长牙突出，放声痛哭。

"怎么回事，晴明？这人究竟是谁？"

"是附身于壬生忠岑大人、忠见大人两代人的鬼嘛。现在，它以忠岑大人的身体为凭借，附身于忠岑大人。"

"晴明，这是你干的吗？"

"对。我把这鬼所咏的'新芽嫩绿'和歌写在纸上，作为咒使用，让忠岑大人拿着，唤它进来。鬼便附于忠岑大人，一直来到这里。"

晴明来到忠岑跟前，向附身于忠岑的鬼问道：

"歌会的时候发生过什么事？"

但是，鬼答不上来。它抱着头说：

"啊啊，忠见啊，对不起。是我把你弄成了那样的鬼。弄得跟我一样。"

"发生了什么事？"晴明接着问道。

"那家伙——忠见那家伙，最后一首没有让我来作。他说要自己作，然后就作了……"

"就是那首'恋情未露'的和歌吗？"

"对。忠见第一次拿自己作的歌参加歌会，然后输掉了。"

"这样一来就明白了。"

"你明白了什么，晴明？你们阴阳师懂得什么？阴阳师能做的，就是这样把我们抓住、又放掉而已。那又怎么样呢？"

"你喜爱忠见父子，对吧？"

"当然喜爱。我就是喜爱他们。他们爱和歌懂和歌，但是没有作和歌的才华。所以，他们需要我。"

"……"

"我给他们创作歌会的和歌很快活。这次特别高兴。如此奢华的宴会前所未闻。我也很乐意和他们一起作。哎，下回要作什么和歌？"

"我想问一下：是忠见大人说他自己想作和歌？"

"对。他说无论如何也想作。就这次。所以我就说，你作吧，不妨一试。无论是怎样的和歌，由我做点手脚，能赢下来……"

"忠见拒绝了你的帮忙？"

"对。忠见说，别多此一举。我要以自己作和歌的实力来参赛……"

"然后，那首和歌就与兼盛大人的和歌比拼第二十个回合了。"

"对。我对忠见说了，我随时可以让你取胜。歌会那个晚上，我也在现场。我说，我会在场的，一定会在场。所以无论什么时候，如果你想借我的力量取胜，马上站起来说'我想赢'就行。我还在。我留在现场了。忠见啊，为了告诉你这一点，我在讲师的耳边嘀咕了，使他弄错了读和歌的次序。你不觉得那事情不寻常吗？通过那件事，你知道我在现场了吧？"

"那是你干的呀？"

博雅的声音变粗了。

"对呀。就是我干的……"

"为什么没有实施？"

晴明还是接着追问。

"我原打算无论忠见想不想，都要让他的和歌获胜。可没想到……"

"没想到什么？"

"兼盛提交的和歌，竟是我的作品！"

"你的？"

"眉宇之间隐深情，人问是否我相思。"

"那不是兼盛大人所作和歌的原歌吗？"

"兼盛把它稍微变一下拿出来了。而且他改过之后，竟比我的原作又好了几分……"

鬼的声音颤抖着，将忠岑的脑袋左右摇晃。

"我心乱如麻。不知让哪一方获胜为好。无奈之下，便撒手不管了。我逃走了，胜负就看天意吧。没想到……"

"'深情隐现'胜了……"

"对。"

"……"

"然后,他竟然那样就死了。我真糊涂,没想到他是那样固执的人。"

"原来如此。"

"晴明,你要把我怎么样?把我消灭吗?"

"不。"晴明伸手到忠岑的怀中,取出写有和歌的纸片。

忠岑神色哀伤地望着晴明。

"消灭掉也无妨吧……"鬼小声嘀咕道。他凝望着黑暗的虚空,好一会儿才凄凉地笑笑。

"嘿。"

像抽走了什么东西似的,忠岑的表情复归原样。

"晴明大人,这是怎么了?发生过什么事?我刚才是怎么了?"

"鬼附体啦。"

"鬼?"

"以后再详细告诉你。都明白啦。"

"忠见呢?"

"忠见大人已经无可挽回了。这样的怨灵不是我晴明之力所能应付的。由他去是最好的办法——我向圣上禀报好了。"

"晴明,鬼呢?"

"走掉啦。"

"走到哪里?"

"哦,去哪里了呢?"

晴明喃喃道。

十

"竟有那样的奇事!"

廊内，博雅感慨良多地喝着酒。

事过一年，匆匆春又来到。

"哎，晴明，忠见大人今晚还出来吗？"

"应该会出来吧。"

晴明的声音显得落寞。

"不知怎么了，忽然想见见忠见大人。"

"是啊。"晴明点点头。

"要去吗？"

"走吧。"

"走。"

事情就这样定下来了。

提着酒瓶，晴明和博雅在夜风之中，向宫内走去。

"忠见大人也要喝酒吧。"

"是啊，他喝不喝呢？"

二人边走边说着不着边际的话。博雅冒出一句：

"月色好啊，晴明……"

扑地巫女

一

此世即我世

如月圆无缺

据说此诗是藤原道长①立女儿威子为皇后时，在晚宴上的抒怀之作。平安时代中期，藤原道长在宫廷斗争中取胜，成为为所欲为的权势人物。

道长法号行宽，官职是从一位，是藤原兼家的第五个儿子。他喜爱《源氏物语》的作者紫式部，对在宫内沙龙中提高紫式部的声望作出了很大贡献。

他一家就出了三名皇后，人称"一家三后"。

尽管如此，"此世即我世"，和歌开头便下断言，实在厉害，还把自己的情况比作天上的月亮，也很不得了。

---

①藤原道长（966－1027），日本平安朝中期摄政，权倾朝野。《枕草子》中有许多道长的事迹。据说《源氏物语》的男主人公部分以他为原型。

"如月圆无缺"，可说是大言不惭、忘乎所以的威势，把这些比喻入歌，实在是令人瞠目。就算说作者是开玩笑，但和歌是道长所作，就不再是俏皮话了。

如果一个部门经理无视董事长的存在，声称："这公司是我的。""我就能这样。"只要他把这话说出口，马上就会被抓住把柄，被扳倒，从权力的宝座栽下来，这就是现实世界。

而且，这也不是闹着玩，仿佛在某个小酒馆里，向身边人说悄悄话之后吩咐各人"请保密"。分明是明知故犯。

说来，在董事长孙子的结婚仪式上，那场合有部门经理、常务董事、总经理，有关人士济济一堂，如果一个部门经理在这个仪式上发言："这个公司是我的。"情况就相当于这样。即便董事长孙子的结婚对象是自己的孙女，这话也是万万说不得。

对自己的地位是如此自信，没有想过这种话会威胁自己的存在。或许可以说，这种人与源博雅这样的好汉，正好截然相反。

当然，这并不意味着道长这个人不具魅力。

如果作为小说的人物，在角色刻画方面，道长可以成为一个极有深度的人物。

这次不打算谈论道长，但事情也不是与他完全无关。

这是关于道长的父亲藤原兼家的故事。这个时候道长刚出生不久，还只有两岁。

这是安和元年夏天。

当然，安倍晴明和源博雅还在人世。

二

午后的阳光，炫目地照射着庭院。

数日来，一到午后便阵雨骤至，庭院里的花草树木水分充足，在骄阳下长势旺盛。

地面热得烫人，但外廊却是个纳凉的好地方，时时有凉风吹过。

外廊内，晴明和博雅相对而坐。两人正大吃甜瓜。

诱人的大甜瓜放在盘子里，已经切开。两人吃得正来劲，两手捧着瓜块，任汁液流淌。连风也带上了几丝甘甜、清爽的瓜味儿。

晴明身穿白色狩衣。看他无所顾忌地吃着瓜，宽松的狩衣上却没有沾上一滴汁液。

"好瓜好瓜。"晴明说道。

"嗯，真好吃。"博雅边说边用手指抹去唇边的汁液。他把瓜皮放在盘子里，问晴明，"你那么爱吃瓜吗？"

今天早上，一只白鹭衔着一封信飞到博雅处。信上写着：

"白天能带上一两只甜瓜作为礼物来玩吗？"

是晴明在传递消息。

"好的。"博雅就在信纸上写了回复，白鹭把信带走了。

博雅如约带上两只甜瓜，来访晴明。

晴明把博雅带来的瓜抚摸一通之后，说句"吃了吧"，便用刀剖开瓜，在外廊内吃起来了。

"并不是因为我爱吃。"晴明边将瓜皮放在盘子里边说。他濡湿的红唇晶亮晶亮的。

"不爱吃甜瓜，你还特地让我带来？"

"不，我没说我不爱吃，只是说，并不是因为想吃瓜，才要你带瓜过来。"

"那，又是什么理由呢？"

"也算与工作有关吧。"

"工作？"

"有人托我处理瓜的事。过一会儿我必须外出一趟。所以事前得摸准瓜的情况。"

"哎，晴明，我不明白你在说什么呀。"

"哦，就是我要处理关于瓜的事。"

"谁托你的？"

"是藤原兼家大人。"

"藤原兼家，就是不久前晋升从三位的那位吗？"

"正是。"

"晋升从三位，这下子他就超越兄长兼通大人了，宫里的人都说他非常能干。"

"我也听说了。"

"他两年前得了第五个儿子吧。"

说到此，博雅歪着头思索起来。

"为什么兼家问起瓜来了？瓜和你有什么关系吗？"

"博雅，你听着，我现在按前后次序告诉你……"

"噢。"

"在谈兼家大人之前，你有没有听说过扑地巫女的事？"

"扑地巫女？"

"对。"

"对对，听说过。据说是个搞占卦的异常美丽的女子——是说她吧？"

"应该就是她。"

"近两年经常听到她的名字。说起来，刚才谈及的藤原兼家大人，似乎也热衷往她那里跑呢。这次升官晋爵，很大程度也靠她占卦的功劳吧。"

"据说兼家大人每次听那女子占卦，都衣冠束带，她扑倒的时候，就把她的头枕在自己的膝上。"

法然院亦常召问，深信其言。每有召对，必衣冠束带，置其首于膝上问之。因应对合宜，故常召问也。

《今昔物语集》有以上的记述。所谓"法然院"即指藤原兼家。

"嗬，这巫女颇受重视啊。"

"那是什么原因呢？"

"这一点嘛，博雅……"

于是，晴明说起了缘由。

三

三年前，西京一座小庵的女子占卦很灵验的说法，开始流传开来。

据说这女子原是价钱便宜的妓女。她在男子离开时，会说一些很奇怪的话。

"你好事将临了。"

"不是女儿，是儿子。"

"还是不要外出为好。"

结果，数日之内，被预言好事将临的男子在京城大街上捡到了钱。被预言生儿子的男子，妻子当时正怀孕，生下来果如其言，是个儿子。被劝说不要外出的男子，次日出猎时坠马，摔断了腿。

这种占卦，不如说是预言。

她的预言往往灵验。后来，来买春的客人，反倒不如来听取预言者为多。

这名女子作预言时的方法有点特别。她先是端坐闭目，接着合掌念咒数次。在这过程中，合掌的双手开始颤抖，然后全身颤抖，接着向前扑倒，最后僵卧不动。不久起身，说出倒卧时看见的情景。这就是她的预言，算作占卦。

预言时有时无。没有的时候不收费。另外，若想知道特定的事情，为此特地来询问，却几乎都行不通。

例如，问明天天气怎么样时，答复却与天气无关。偶尔说"天晴"二字，却不清楚究竟说的是明天的天气，还是十天之后的天气。所以，若单论预言的对错，准确率大约在十之五六。

不过，有十之五六的准确率，已经很了不得。

这女子总是先扑倒再预言，所以不知自何时起，人们就称她为"扑地巫女"。

从两年前开始，藤原兼家知道了这女子的事，也常常找她占卦。

他最初问的是儿女事。那时，兼家的妻子正怀孕，看样子会难产。他便前往这占卦女子处。

"将会生下圆满无缺的十五之月吧。"

兼家得到了这样一句话。

想生则生，生则平安得子。预言后数日，生下一个男孩。这孩子就是道长。

自此以后，兼家经常找时间前往巫女处。大概是从巫女那里得到了很不错的预言吧。

约一年前起，兼家开始衣冠束带地前往巫女处，当巫女扑倒时，他用膝部托起。

到今年，兼家受到特别的提拔，官位超越了兄长兼通。

"好，从现在起要谈到瓜了。"

晴明对博雅说道。

十天前，兼家前往巫女处，得到了奇怪的预言。

"是瓜。"巫女说道。

"瓜？瓜怎么了？"

"是瓜。"

"那么，瓜是好的征兆，还是坏的征兆？"

"不知道，我只看见了瓜……"

事情就是这样。瓜是人们喜好的东西，总会设法弄来吃的。可预言说瓜又是怎么回事呢？想不通，便把预言放在一边了。

两天前，兼家大宅前有卖瓜的经过。

听到叫卖声，兼家让人买来了两个瓜。

他随即就要开瓜大啖，这时候想起了巫女的话。

"不知道是好的征兆还是坏的征兆？"

如果是好的征兆，吃了也没有问题；但如果是坏的征兆，吃了会出大事吧？结果，那天兼家没有吃瓜。第二天——也就是昨天，兼家又到巫女那里去了。

"你到我这里来，是个明智的决定。"巫女说。

"有坏消息吗？"

"没有。"

不知道是吉是凶。

"如果你想知道这事，在京城里，只有安倍晴明一个人能够做到……"巫女这么说。

"于是，就要我到兼家大人家里去一趟。"晴明对博雅说道，"我要去判断是吃瓜好，还是不吃好。"

"哦。"博雅点点头。

"所以，我去作判断之前，要真正地吃瓜、摸瓜——接触过才行。"

"有道理。"博雅颇为赞同。

"怎么样？你也去吧？"

"我也去？"

"对。"

"去兼家大人家？"

"当然。"

"我去好吗？"

"我已经跟那边打了招呼，说有可能与源博雅同来。"

"哦。"

"去吗？"

"好。"

"走吧。"

"走。"

事情就这样定下来了。

四

此刻，金黄诱人的瓜放在盘子里，摆在晴明和博雅的面前。香甜的气味散发到风中，仿佛刀还没有切下，里面的汁液已滴滴流出。

"真是好瓜。"晴明说道。

隔着放瓜的盘子，坐在对面的人是兼家。

"一定要请晴明先生看看，应该如何处置为好。"

"可以拿起来看吗？"

"请随意。"

晴明伸手拿起瓜，感觉沉甸甸的。抚摸了一会儿，他会心地微笑起来。

"呵呵。"

"有问题吗？"

"这瓜不行啊。"

"噢？"

"这是很危险的东西。"

"您是说……"

"这是用近似蛊毒的方法下了咒。"

"咒？"

"请等一下。"晴明对兼家说道，"请预备笔墨……"

再让人拿来纸，纸已用小刀裁小。晴明拿起笔，在原来三分之一大小的纸上，刷刷写下几笔。既像咒文，又像是什么图案。

晴明把纸放在瓜上。他右掌按在纸上，嘴里念念有词。过了一会儿，把手挪开，说："把瓜切开看看。"

小刀的刀刃一下子没入瓜中，晴明把瓜切开了。

一看之下——

"哇?！"

"这是……"

兼家和博雅同时叫喊起来。

一条黑蛇扭动着，从瓜里爬出来。

"这、这是怎么回事？"兼家提高了声音。

"就是说，有人把恶咒下在瓜上。"

"就是这条蛇？"

"蛇不是放进去的。是我把恶咒变为蛇的模样，只是为了让你们更容易明白。"

蛇已爬出盘外，从榻榻米爬向兼家的方向。兼家恐惧地后退着，站了起来。

"快想想办法，晴明！"

"是。"晴明微笑着伸手抓住蛇，把扭动的蛇塞进袖中。

"要是吃了那个瓜，结果会怎么样？"

兼家用手抹着额头的汗，问道。

"那条蛇会在兼家大人体内把五脏六腑都吃掉吧。"

"那就是说……"

"会得极重的病，有可能会导致死亡。"

"啊，这个……"兼家语塞。

"这事究竟是谁干的？"

"瓜是向谁买的呢？"

"是一个女人。那女人来卖瓜，因为瓜看上去很好，就买了。"

"到天黑还有段时间，虽然不知道是否能弄明白，但我还是去查一查吧。"

"拜、拜托了。"

"博雅，如果你不介意走一点路，那就一起来好吗？"

"那当然。"博雅站起来说道。二人走出大宅。

往外走，在大门口，晴明停下脚步，从袖口取出那条蛇。黑蛇缠绕在晴明纤细白皙的手指上。

"好啦，回主人那里吧。"

说着，晴明把蛇扔在地上。蛇贴着地面爬行。

"哎，博雅，我们跟着它走吧……"

晴明迈步就走，博雅跟了上去。

五

来到京城的东端。蛇仍以人的步行速度贴地爬行。

进入山中，不知从何时起，置身杉树林中。一人合抱、两人合抱的古杉一棵棵指天而立。空气变得凉沁沁的。

离傍晚尚早，四周却已经显得阴暗了。因为杉树的枝梢遮挡在头顶上，阳光照射不到森林的地面。

隐隐约约可见人的足迹和石阶的痕迹。林中的小径延伸着，蜿蜒向上。

"看到啦，博雅。"

晴明望着小径的前方说道。树丛之间出现了一个屋顶。

"就是它。"

他们跟着蛇一起来到那所房子前面。

这是一所残破的寺院。屋顶已经腐烂，一部分墙壁都剥落了。看样子至少已十年以上没有人居住了。

蛇缓缓爬入院子。晴明和博雅正要随之入内，里面突然出现了人影。

是一个年约四十的小眼睛女子。

"是安倍晴明大人吧。"

女子小声说道，仿佛在喃喃自语。看来，她就是上门卖瓜的女子。

"是的。"晴明点头应道。

"主人等着您呢。"

女子说着，请晴明和博雅入内。

"你们已经知道我们要来？"

晴明这么一问，女子点头称是。

"我家主人早就说了，能够应付那个瓜的咒的人，也就是晴明大人了。如果有人解除了这个咒，与之同来的话，他就是安倍晴明……"

女子低下头行礼，示意晴明往里走。

"止步吧。不必进来。"

屋子里面响起一个声音。是一个男人无奈的声音。

"请别介意。"

在女子的催促下，晴明和博雅进了屋。

这是一所小寺院，进门即为本堂。但没有供奉本尊。屋内有两名男子。其中一名男子似有相当身份，穿着讲究，与残破的寺院很不相称。此人站得靠里，背向来客。

另一名男子是个老人，一头蓬乱的白发。他穿着肮脏的公卿便服，污垢斑斑，无法估计已有多久没洗过。脸因曝晒和肮脏呈黑红色，无数皱纹深深地刻在上面。狮子鼻。一双闪烁着黄光的眼睛如猛禽般锐利。

不用说晴明，就是博雅也已经不是初见这副尊容。

那条黑蛇盘在老人脚下。

老人嫌它碍事似的用右手捡起，托在掌上，举至头部的高度，嘟起嘴巴衔住蛇头，然后一口吞下。

"你来啦，晴明……"老人说道。

"果然不出所料。"

晴明的红唇浮现浅浅的笑意。

"能做这事的人也没有几个，所以我已经想到是你。"

"晴明，这位老者就是那位……"博雅说。

"芦屋道满大人……"

晴明说出他的名字。

"久违啦，晴明。"

"还是后会有期嘛。"

"没错。"

"怎么成了这副模样？"

"受人之托啊。"

"受人之托？"

"事已至此，我自己当然不会想这么干。"

"也是。"

"消遣解闷嘛。"

"你说是消遣解闷？"

"对。晴明你这样爱管闲事，也是消遣解闷吧？"

"我也是受人之托。"

"嘿嘿。"芦屋道满瞟一眼里屋，"我对那位大人说了，若是贺茂忠行、贺茂保宪，两人中来任何一个都不妨，但晴明出马的话，事情到此为止。"

"藤原兼通大人……"

晴明说出了那人的名字。是藤原兼家的兄长的名字。

被说穿的瞬间，背向他们的男子肩头猛然一抖。

"不必转过来。看不见您的脸也好。刚才说的名字只是随口说说而已。是否真的是您，谁也不知道。如果到此为止，我晴明和博雅也没有打算向兼家大人说出来。"

"聪明人呀，晴明……"

道满哈哈大笑。

"您觉得此事可以到此为止了？"

"好啊。"

道满答应一声，又说："晴明，这次的事，你就对兼家说，是我道满开玩笑。使他担惊受怕了，为了向他表示歉意，以后有晴明也做不到的事，我道满这里随时可以商量。想召唤我的话，在西风猛烈之夜，将百枚写有我姓名的木牌投向空中，三天之内我就会上门拜访……"

"我一定把话带到。"

"事情就此结束。"

"好。"

"请回吧，晴明。"

"明白了。"

对低头致意的晴明，道满又说："等一等，晴明。"

"还有什么事吗？"

"你要到那女人那里去一趟吧？"

"有此打算。"

"那就好。"

"告辞。"

"好吧。"

晴明示意博雅，转身离开。

"走啦，博雅。"

六

"挺惊人的，不过……"

博雅开口说话时，二人刚走出杉林。太阳已在西山的山顶上。

"没想到是兼通大人做了这么一件事，是因为……"

"唔……"

"弟弟的官位超过了自己，气愤难平吧。因为兼家大人为超过兼通大人，也曾在朝里多方活动。"

"哦。"

"这件事还是不能对兼家大人说吧？"

"这样比较好。"

"我也觉得这样好。"博雅说。

"这样，日后我们也好办。"

"好办？"

"万一将来朝中有事，危及你我时，他就会出手帮忙吧。"

"你说的'他'是……"

"藤原兼通大人啊。"

"……"

"如果我们在那里看见了他的脸，或者向兼家大人和盘托出，只会惹他怨恨。得到机会，他就有可能叫人来谋取我们的性命。刚才以那种方式了结是最好的。"

"道满大人说你'聪明'，是指这回事吧？"

"跟鬼呀、怨恨呀打交道，广交朋友是很必要的。"

"不过，说是这么说……"

"要在人世上生存下去，就要这样处心积虑。"

"说到做事,刚才道满大人说'晴明做不来的事',这是什么意思？"

"就是我做不了的事嘛。"

"那是……"

"例如以咒杀人之类的事。"

晴明这么一说，博雅停住了脚步，打量着晴明。

144

"你怎么了？"

"我这才松了一口气。"

博雅脸上呈现高枕无忧的神色。

"咳，为了在这世上活下去，有许多事要违心地去做。但是，如果你做得出以咒杀人的事……"

"如果做得出会怎样？"

"那、那就……"

"你怎么啦？"

"我也说不好——也就是说，我可能会讨厌活在这个世上了。"

"哈哈哈。"

"我是这么想，晴明，因为有你，这个世界还不算太坏。"

"……"

"无论你怎么冷眼看待世间，有时我也不明白你的事，但是，我明白你最根本的地方。"

"明白什么？"

"其实是因为你总认为自己是单枪匹马。老实说吧，晴明，你其实很寂寞，觉得自己在世上是孤身一人。我有时也痛切地感觉到你的处境。"

"哪有这种事。"

"真的？"

"不是还有你吗，博雅？"

晴明冒出这么一句。出乎意料的话让博雅接不上话头来。

"傻瓜。"

博雅只说出两个字，他面露愠色地往前走去。

走在后面的晴明笑嘻嘻的。

"不过，还好。"

博雅向身后的晴明搭话。

"什么'还好'？"

"因为我终于知道，你别处还有女人。"

"女人？"

"这不是要去见她吗？道满大人不是说过吗？"

"哦，你说那事。"

"晴明，她是个什么人？"

"就是'扑地巫女'嘛。"

晴明脱口而出。

七

夕阳西下的傍晚时分，晴明和博雅抵达京西的一所庵。

庵不算气派，但屋顶、墙壁完好，足以遮挡风雨。外有垣墙，加上一个小门，围成简单的院子。庭院里，暮色下还能看清开花前的胡枝子，绿意盎然。

庵里已上灯火，从外面能看见摇曳不定的红色光焰。

走进院门，庵内走出一名僧尼打扮的漂亮女子。

"正等着您呢。"女子说道。

"晴明，这位师傅是那位……"

"对，你也见过的。是八百比丘尼师傅。"

从庵里出来的，是数年前的一个冬夜来到晴明家、在雪中裸露身体的女子。就是那据说吃了人鱼肉、活了数百年的白比丘尼。

在雪中的庭院里，晴明和博雅帮她除掉了体内的祸蛇。

"那次你们真是帮了大忙。"

八百比丘尼郑重地低头致谢。

"那么，你就是'扑地巫女'了？"

博雅这么一问，她答道："是的。"

然后，她引导二人进入庵内："请这边来。"

室内的地炉生着火，架在上面的锅冒着热气。

打量一下，地炉边上有盛满野菜的碟子，连酒也备好了。

晴明和博雅在地炉旁的圆垫子上就座。小小的酒宴开始了。

"您都知道了吧？"

杯酒下肚，将空杯放回盆上时，晴明问道。

"是。"八百比丘尼点点头，"不是马上就明白的。但当我看见兼家大人拿上来的甜瓜时，就联想到应该跟兼通大人有关了。"

"是那家伙干的——这一点也想到了吗？"

"能做到的人，也就是晴明大人、保宪大人——没几个人。这两位是决不可能做这种事的，剩下就是那位……"

"芦屋道满。"博雅把名字说了出来。

"对。"八百比丘尼点头认可，"对方若是那个道满，像我这样的就远不是对手了。所以……"

"就抛出了我的名字。"

"对。"

八百比丘尼垂下白皙的眼睑。

"为此又可以见到晴明大人和博雅大人，实在太高兴了。"

八百比丘尼伸出纤指拿起酒瓶，为两只空了的杯子斟满酒。

"像我活得这么长，也能获得不可想象的能力啊。"

"是占卜的事吗？"博雅问道。

"是的。随口而出往往就很灵验，于是人家来求，就模仿占卜。但明白将来的事，并不见得是好事。"

"是啊。"

谈话之间，夜已渐深。

"那位大人其实很寂寞吧。"八百比丘尼说道。

"哪位大人？"博雅问道。

"芦屋道满大人……"

"是他啊。"

"对。因为我也一样。"

"一样？"

"我也不同于一般人嘛。天生与众不同的人，不能适应人世。可又不能去死，只好弄点什么事来做做，打发至死方休的漫长岁月。"

"那家伙说了，是当作消遣的。"

"这像是他说的话。"

"……"

"某方面与众不同，等于在那个方面出类拔萃，因此而感到寂寞——晴明大人，您也是一样吧。"

对八百比丘尼的恭维，晴明只是苦笑。

"哈哈……"

博雅笑起来。

"博雅大人，您也是一样的呀。"

八百比丘尼小声说道。

"博雅！"晴明对止住笑声的博雅说道。

"什么事？"

"你带了叶二吗？"

"带着。"

"正好。我想听博雅的笛子啦。可以吹一段吗？"

"好。"博雅答应着，从怀里取出叶二。叶二是他从朱雀门的鬼手里得到的笛子。

博雅的唇轻轻贴住笛子，静静地吹起来。

不用说人，就连天地、神灵也感应到这笛声，大地上的种种气息都以这所小庵为中心，悄然聚拢，祥和静穆的力量自上天降临小庵上方。

博雅仍旧静静地吹笛。

吸血女侍

一

暑热。

阳光从头顶直射庭院。院子里夏草繁茂。

乌蔹莓，紫菀，露草。庭院里几乎没有踏足的空隙。这些草仿佛都煮开了，在阳光下直冒热气。

反射自庭院的光线，甚至映照到坐在外廊内的晴明和博雅处。晴明支起一只脚，一只手搁在膝头上，有意无意地眺望着庭院。

没有风。院里杂草的叶尖，连微微摇晃的动静也没有。晴明身穿宽松的白狩衣，额头上找不到一颗汗珠。

"晴明，真热啊。"博雅嘟哝道。

二人之间放着一个小盆子，里面盛满清水。

要说有凉意的东西，就只有晴明的白色狩衣和盆里的清水了。

梅雨刚过，随即连日晴天，一滴雨水也没有的日子竟持续了三十多天。

"这种酷热之下，为什么草木还能长得这么旺盛呢？"

"因为有夜晚吧。"晴明答道。

"夜晚？"

"到了夜晚，就会降下露水。"

"对对，的确如此。"

博雅点头接受这个解释。

他知道晚间降露，就如同下过雨一样，早晨庭院里的草湿漉漉的。

清晨漫步庭院之中，衣物的袖口、裙裾都像放入水中似的沾湿了。这些露水落到地面，可湿润泥土，被草吸收。

"但是，不下雨还是不行吧。"

博雅把手浸入水盆，再用凉爽的手抚着额头，眼睛却看着晴明。

"晴明，以你的能力，可以让天下雨吗？"

听了博雅的问题，晴明嘴角浮起一丝笑容，他以手扶额，轻轻摇了摇头。

"不行吗？"

"这个嘛，你说呢？"

"贵船神社的祭神是水神吧？那边每天都在祈雨，但还是没有下雨的迹象。"

"噢。"

"据说，从前空海和尚在神泉苑祈雨，雨就下了。"

"听说是吧。"

"说起来，大约十年前也有过大旱的事，东寺的妙月和尚在神泉苑祈雨，也很灵验，就下雨了……"

"若论神泉苑池水，应该是船冈山的地龙通过地下的地脉伸出头来喝水的地方，作为祈雨的地方倒算合适。"

"当时妙月和尚是抄了佛经，投到水里……"

"是佛经吗？"

"大约十天前，中纳言藤原师尹大人不是带了几个侍女，声称在神泉苑祈雨，大开宴席吗？"

"就是让侍女跳入水池那次吗？"

"对。据说让诸龙念诵了可如愿以偿的真言，让女人在水池里玩。"

晴明念了几句古怪的话。

"什么意思？"

"诸龙的真言呀。空海和尚用于祈雨的，妙月和尚也使用过的，都念过这种真言吧。"

"晴明，你不但懂咒，连真言也很了解吗？"

"因为咒也好，真言也好，都是类似的嘛。"

"既然如此，用你的咒和真言，总该有办法吧？"

"你是说让天下雨的事吗？"

"对呀。"

"博雅，无论怎样的咒或真言，都左右不了天地的运行。"

"什么？"

"就是说，召唤东海龙王、求佛出世、阻止星移日出，都是不可能的事。让天下雨，也是同样的道理。"

"可是……"

"如果是关于人的心灵，倒是可以努力一下。"

"人心？"

"对。比如说没有下雨，却可以让你感觉已经下过了。可是，这和真的让天降雨是两回事。"

"但是，空海和尚……"

"因为他是个脑瓜好使的人嘛。"

"脑瓜？脑瓜好使就会降雨？"

"不是。"晴明摇摇头，又说，"测好天要下雨的时期，再进行祈雨的话，就下雨啦。"

"什么？"

"虽然不能让天下雨，但知道天何时下雨也是可以的。"

"既然你这么说，那你是知道的吧？"

"知道什么？"

"我问的就是：你知道什么时候下雨吧？"

"怎么说呢？"

"是什么时候？"

"该是什么时候呢……"

晴明看着博雅，笑得很开心。

"说件简直成了笑话的事吧：师尹大人祈雨之宴，差点把侍女淹死。"

"是吗。"

"侍女到水池里去念诵真言，掉进水深处，差点淹死。幸好危急关头获救了，不然就没命啦。"

"呵呵。"

晴明抬起头，仰望屋檐外的蓝天。天空蓝得让人绝望，不见一丝云彩。

"你怎么啦，晴明？你在听我说吗？"

"听着呢。"晴明点点头，仍旧仰望着天空。

"天空怎么啦？"

"没什么。马上就要外出，所以在想能否凉快一点。"

"变凉快？"

"应该有牛车来接，但热成这样子，乘牛车也并不轻松啊。"

"你也受不了这种酷热？"

"博雅，两个人挤在牛车里摇晃，也挺不好受吧？"

"两个人？"

"我和你。"

"我也去？为什么我要和你一起乘车？这是件什么事，晴明？"

"就是刚才我们谈到的中纳言藤原师尹大人，他召我们去。今天早上他派人来，说有事请教，今天是否可以过去。"

"今天早上？"

"我说今天和博雅有约，对方说和博雅一起来也行。怎么样，一起去吧？"

"我也去？"

"看样子他有了为难之事。正好作为避暑吧。谈好之后，就可以凉凉快快地回来了。"

"但是，事出突然啊。"

"我不擅长应付那种人。"

"不擅长？"

"你不也说过吗？神泉苑祈雨的宴会呀。"

"噢。"

"我对那种不择手段自吹自擂的人很头疼。"

晴明是说，他不擅长应酬那种以轰轰烈烈的方式吹嘘自己的人。

"要说宣传自己，由他人来做而不是自己上阵，效果应该显著得多。"

"是这么回事啊。"

"召我去并没有什么，问题是我很有可能不自觉说出惹他生气的话。那时如果有你从旁缓解，就太好了。"

"我要是去了，就太好了？"

"对。而且这样的场合，还是另外有人在场为好。"

"是指我吗？"

"无论他怎么生气，如果博雅从开头就看到了，师尹大人也就不会胡说八道了。"

"所谓'胡说八道'是指什么？"

"例如，我给他出了主意，但最后他却抓住某一点，私下到处散布'晴明也不过如此'的话。即使善始善终，他却说不是晴明干的，是他自己干的。"

"他的确干得出来。"

"没错。"

"其实说到神泉苑的祈雨宴，那也是影射性的。我刚才没说，据说他到清凉殿上拜见天皇，对天皇说什么'这种时候和尚也好，阴阳师也好，都无能为力，实在是没有办法了'。"

"最好的办法就是别理他吧。"

"要是这样，没答应去就好了……"

"我看那事情还挺复杂的，觉得不去不行，当时决定过去看看。"

"究竟是什么事情？"

"据说是被吸血了。"

"什么？！"

"被吸血啦。"

"血？"

"据说一到晚上，就有东西到师尹大人宅子里来，吸侍女的血。"

二

事情是这样的。

最早发生在约八天前。师尹的大宅里，有一个名叫小蝶的侍女。小蝶到了早上还迟迟不起床，其他侍女就过去看她是不是病了，顺便叫她起来。

"你怎么啦？"

听到别人来招呼她，小蝶从床上抬起脸说："我身体很疲倦，手脚无力。"

一看她，果然脸色苍白，没有血色。脸颊也凹了下去，像个老太婆。握握她的手，指尖冰凉。

"对不起，我马上起来……"

小蝶想起来，众人赶紧劝止：

"不要起来了，还是躺到有精神再说吧。"

小蝶的衣服领口开了，露出了脖子。她脖子右边赫然有一块婴儿拳头大小、令人吃惊的青紫色大痣。

"咦，你有那么一块痣？"

听别人一问，小蝶才注意到那块痣的存在。什么时候有了它，是什么原因导致，连她自己也不知道。

这天且让小蝶休息了。第二天——

这一次是一个叫水穗的侍女，到了早上起不来。其他侍女去看她，情况和前一天小蝶一样，脸色苍白，没有精神，两颊消瘦。还是让她卧床休息，为了慎重起见，打开她的领口查看一下。

"咦！"

水穗的脖子上也出现了紫色的痣。

这样的事一连四天出现，先后有六名侍女遭遇，全都是一到早上就脸色苍白消瘦，脖子上出现痣。

师尹的大宅里共有十四名侍女，近半数已经脖上有痣。夜晚入睡前与往常无异，但一到早上就出了问题。师尹感到问题一定出在晚上，他吩咐随从派人通宵把守。

这个时代，侍女们的住处基本上是通铺。她们睡在宽敞的大房间里。没有小房间，只是根据需要设置屏风之类的东西作为分隔之用——实际上只要摆上屏风，就与独立的房间一样，有私下的空间了。

深夜。灯火熄灭。暗下来的房间周围有两个男人坐着值夜。

然而，这天晚上过后，还是有一名侍女脖子上出现了同样的痣。据说是通宵值夜的人睡着了，第二天早上醒来一看，又出了事。

接下来的晚上，值夜人增至四个。但还是发生同样的事。

一到深夜，无可抵挡的睡意袭来，四个男人相继睡去。然后到早上一看，又有一名侍女脖上有痣。

请了医师来看，医师说："好像被吸了血啊。"

有东西一到晚上，就出来吸侍女们的血。吸血的痕迹便形成痣留下来。过几天，被吸了血的侍女们脸色逐渐好转。进食之后，体内又有了血，事情不致危及性命，但实在令人心悸。

太可怕了。一到晚上，人们就提心吊胆，甚至有的侍女提出要回家。

"所以，师尹大人就来哭求我。"晴明说。

"怎么样，去吗？"

"我也去？"

"嗯。"

"不过……"

"可以名正言顺地在侍女们的住处待到天亮啦。"

"那也不算什么……"

"那就去吧。"

"嗯。"

"动身吧！"

"走！"

事情就这样定下来了。

三

"事情就是这样，只能拜托安倍晴明大人了……"

藤原师尹说道，口髭下的嘴唇不安地忽上忽下。

他正对面的晴明旁边，是端坐着的博雅，所以师尹似乎很别扭。师尹的官位是从三位，在晴明之上，但旁边有博雅。博雅官正三位，自然比师尹高。

"那就事不宜迟，今晚就看看情况怎么样吧。"

"那就是说……"

"什么？"

"是在侍女的住处看情况吗？"

"是的。"

"那么，源博雅大人也一起？"

晴明轻瞟一眼博雅，点头确认："是的。"

"这样好吗？"

"什么好不好？"博雅问道。

"啊，麻烦博雅大人在侍女住的地方通宵守候，实在是不敢当……"

真是别扭。烦。但是，这感觉可不能说出口。

官位在上者来到自己的家，还要人家做那样的事，自己去睡可说不过去。师尹知道博雅和晴明同来，但他怎么也没想到博雅还会那样做。他早就知道晴明和博雅有交情，交情如此之深却没想到。

"没关系，你不必介意。"

博雅这样说了，师尹仍一副极困窘的表情，竭力搜寻着下一句话。

"那么，我也一起来……"他终于挤出这么一句。

"那就不必了。如果您关注的话，就在自己的寝室里等结果，好吗？为了慎重起见，您找一两个能干的人，一声招呼就可以冲进来帮忙。让他们在附近找个地方待着。"

晴明这么一说，师尹大大地松了一口气。他额头上冒着汗，说：

"那就有劳两位大人了。我照您的意思安排……"

四

黑夜沉沉。灯火已熄，晴明和博雅并坐在板间。二人背后是侍女们的睡眠之处，那里下了帘子。

帘后传来侍女们睡眠中的鼻息。睡眠中的呼吸声时大时小，有时是沉闷的叹息。翻身时的衣裾窸窣声混杂着指甲抓挠皮肤的声音。

几乎所有的侍女都还没有入睡，或者只在很浅的睡眠中。

前面是庭院。猫爪似的细月挂在西边的天空，月光使庭院依稀可辨。

晴明特地没有关他们所在处的板窗，他认为这样好。

有几棵枫树、松树和杉树。下面是灌木丛，有一个小小的水池。水池倒映着小小的月亮。

"晴明，会来吗？"博雅压低声音问。

"会来的。"晴明答得很干脆。

"你不害怕？"

"不怕。"

"虽然不知道会是什么，但它可是吸血的呀。"

"它又不是吸我的血。"

"迄今只是侍女，下次可能就是吸你我的血了啊。"

"有这个可能性。"

"这不是很可怕吗？"

"博雅，害怕的不是我，是你吧？"

"没错，我害怕。"博雅直率地点头承认，"跟你做朋友，总是遇到这种事。"

"呵呵。"

"它要是来了，你会怎么办？"

"要是来了？"

"吸侍女血的那家伙啊。既然要来，不就是在打开板窗这个地方吗？直接就盯上我们了吧？"

"这个嘛……"

"晴明，别做没有把握的事啊。"

"不会没有把握的。它要来的话，我会提前知道，到那时想个法子就行。"

"那样就行？"

"对。"

"但是，不是说来的时候大家都会变困、睡过去吗？一旦睡着了，来没来就不知道了啊。"

"关键在这里。"

"关键在哪里？"

"关键在于我不会睡着。"

"……"

"你会睡着，博雅。"

"我？"

"对。你会睡着。你一睡着，我不就知道它来了吗？"

"这招是不错，但我睡着了怎么办呢？"

"或者就让它吸点血吧。"

"喂，晴明，莫非你又要重施故技，像黑川主那次一样，把我哄来当诱饵？"

"没有哄你。此一时也彼一时也。"

"你这表情，分明就是哄人。"

"什么都没瞒你。"

"但是，晴明……"

"什么？"

"你总是……"

"总是怎么样？"

"总是在这样的时候……"

"怎么样？"

"怎么说呢？你总是……"

博雅的声音逐渐含混不清，然后头一歪，脑袋向前耷拉下来，睡着了。

五

黑暗中，晴明把食指和中指按在博雅额头上，同时又在博雅右耳根小声念唱。

念唱完毕，晴明嘟起红唇，噗地往博雅的耳孔轻轻吹气。

博雅睁开眼睛。

"博雅，察觉到了吗？"

"晴明，我怎么了？哦，我睡着了？"博雅揉揉眼睛，抬起头。

"不要作声，来了。"晴明对博雅耳语道。

"啊?！"

"把头低下，从帘子之间悄悄看里面。"

晴明这么一说，博雅便膝行而前，把脸贴在帘子上。

黑暗中，里面站着一个发出朦胧的浅绿色光的东西。那光比萤火虫的光还微弱得多。

原来是个女子的身影。

这女人站在侍女寝室的中央，张大嘴巴。

"呼哈……"

她在呼吸。每次呼吸，好像都有东西从她的嘴里跑出来，侍女们睡得更沉了。

"是她？"博雅问。

"对。"

"怎么办？"

"稍等一下，等她开始吸血。否则师尹大人也不会相信。"

晴明说话之间，女子镇静自若地走着，俯视着脚下。

她站住了，说："哎，这女孩子，三天前已经吸过啦……"

又迈步走动，然后站住了，说："这女孩子太瘦，血不多呀……"

然后，又走动起来。

"咦……"她发出欢喜的声音，似乎在黑暗中笑了。

"这女孩子胖嘟嘟，一看就知道可口得很。"

女子站住了，她的身体下沉般地缩小，趴在一名熟睡的侍女身上。

"好，行动吧。博雅，点灯！"

博雅按吩咐点着灯盏，晴明提灯站起来。

"走吧。"

左手持灯，右手拨开帘子，晴明入内。博雅紧随其后。

即便晴明和博雅进入房内，那女子依然趴在一名侍女身上一动不动。像婴儿吸吮奶水一样，发出令人毛骨悚然的声音。

晴明满不在乎地走过去，把左手的灯火按在她捏着侍女领口的右手上。

"哎呀！"女子惊叫一声，滚落一旁，"干什么嘛，要妨碍我进餐吗？"

女子站起来。她嘴巴周围沾满了血。

"嘘……嘘……"

女子的呼吸声响起。

令博雅吃惊的是，如此大的响动，侍女们却完全没有要醒来的迹象。

"博雅，这里交给我，你去叫师尹大人来好吗？"

"明、明白。"

博雅点点头，后退着出了外廊，转过身匆匆跑向师尹的寝室。

六

"这不是葵吗？"

说话的是藤原师尹。他站在外廊内，俯视着庭院。

庭院中，外廊跟前，两名随从拘押着一名女子。看见女子，师尹脱口说出了那句话。

左右燃起了篝火，熊熊火焰映照夜空。师尹的右边站着晴明和博雅。

"那么，是葵天天晚上吸食侍女的血吗？"师尹问。

"是这样。"晴明点点头。

"其他侍女呢？"师尹又问。

"都平安无事。被吸血的侍女也好，其他人也好，都会睡到天亮。现在就处理掉这件事的话，是谁吸血的问题，就可在不为人知的情况下了结。"

"但是，该怎么办呢，晴明大人……"

师尹还没有说完，女子——葵便喊叫起来：

"喂喂，我要喝血，我要喝血……"

她嘴边还沾满血迹。

"那个女人的身上，看来是有邪物附体了。只要把邪物驱除，就圆满解决了。"

"怎么才能驱除呢？"

"让我来。"

晴明径直走下庭院。他向前几步，站在被左右按住的女子面前。

"呸！"葵张开嘴巴，往晴明脸上吐痰。

晴明用左袖挡住她吐出来的东西。黑血粘在他白色的衣袖上。

晴明不动声色地看看脏污的衣袖，右手食指伸向女子的额头。

"嚇！"女子想咬晴明的手指，但手指触到她的额头后，她一下子平静了。

"说吧，你是谁？"

晴明一发问，女子便开口回答：

"我是住在神泉苑，活了一百五十年的水蛭。"

"你为什么会附在葵的身上？"

"从前空海和尚在神泉苑祈雨，将写有诸龙真言的纸投入池中。我在池中碰巧吃了那张纸，因此获得神力，得以长生。"

"然后呢？"

"我忘不了那种滋味，便一心期待着写有真言的纸再次投下来，结果十年前有妙月和尚写的诸龙真言投下来……"

"也被你吃了？"

"是的。吃了两回，就更加想念那种滋味。每年都盼着：今年还有吧，明年还有吧。十天前，不是有念着诸龙真言的女子下池中了吗？我马上吸附在她身上——就是这名女子。"

"果然不错。"

"附在人体，而不是在水中，一到晚上便口渴难耐，饥肠辘辘，于是就……"

"就吸食侍女们的血？"

"是的。"

"但是，事已至此，你也该乖乖回去了。"

说着，晴明用指尖按住女子的额头，口中小声念念有词，将女子的鼻尖含在口中，呼地吹入一口气。

于是，女子"啊"地张开了嘴巴。

"怎么？！"外廊内的师尹喊出声来。

女子张大的口中，有东西爬了出来，肌肤黑亮黑亮，滑溜溜的。那是一条小孩子胳膊粗的水蛭。

水蛭从女子口中爬出来，蠕动着爬向水池。

"因为想要祈雨的真言，不惜弄得烈日当空，就是你搞的鬼吧？"

晴明又煞有介事地接着说：

"池中之水引自鸭川。你可由此游出河中，入海前往东海龙王处。不妨向龙王传我晴明的话：快快下雨……"

也不知是否听见了晴明的话，水蛭从池边滑入水中，消失在黑色的水里，随即无影无踪。

师尹设酒款待晴明和博雅。黎明前，两人乘牛车离开大宅。

晴明和博雅登上牛车时，黑暗的夜空忽然响雷，开始下起雨来。

七

"哎，晴明——"

归途的牛车上，博雅开了腔。大雨猛烈地敲打着牛车和地面。

"这场雨是你造成的吧？"

"唔。"对于博雅的问题，晴明面带微笑，不置可否。

"哎，晴明，这场雨不是你弄出来的吗？"

"我白天不是说过了吗，博雅？"

"说过什么？"

"无论念什么咒，都召唤不到东海龙王，左右不了天地运行……"

"可是，不是下雨了吗？"

"呵呵。"

对于博雅的追问，晴明只是微笑而已。

"哎，晴明……"

"什么事？"

"下雨太好了。"

"是啊。"

"还得说一句：不论是否你造了雨，那位藤原师尹大人准以为是你造的。"

"就让他那么想吧。"

"不用多久，朝廷上就能听到对你造雨的好评啦。"

"会吗？"

"会。"

"那样的话，也不枉特地跑一趟师尹大宅驱魔了。"

晴明说着，嘴角挂着笑容，倾听帘外大雨打着地面的声音。

施小炜 译

凤凰卷

泰山府君祭

一

安倍晴明坐在外廊内，背靠着廊柱。

他随意地曲起左膝横在地板上，竖起右膝，右肘支在膝上，手托着右颊。

晴明微倾着头。颈部与头部勾勒出的曲线，似乎飘溢着一种妙不可言的风情。他左手纤细的手指擎着玉杯，不时呷一口杯中的酒。

无论饮酒与否，晴明朱红的嘴唇始终浮现微微的笑意。

源博雅与晴明相向而坐，同样在举杯畅饮。

旁边脚儿高高的灯台上，点着一朵灯火。只有幼儿小拇指大小的火焰，仿佛呼吸一般在微微摇曳。

时间是夜晚，刚刚进入梅雨季节。白天还一直下个不停的雨，现在似乎停了。

此刻，分不清是雨丝还是雾霭的细微水汽，在大气之中不浮不沉，飘来游去。月亮似乎躲藏在天空中某处，夜空的黑色蕴含着隐隐的青光。夜气仿佛将那依稀散发出微光的青墨，拥入了自己的怀抱。

晴明和博雅的身畔，是在夜色中延展开来的庭院。

庭院宛如山野或原野的一部分，原封不动地切割下来移置此地。

有的地方荒草又高又密；也有的地方，白百合还绽开着雪白的花瓣。

夜晚的空气充满凉意，但还不让人觉得寒冷。晴明身上的白色狩衣吸足了夜晚潮湿的空气，变得沉甸甸的。

"事情的经过就是这样，晴明。"博雅放下酒杯，语调好似在喟然叹息，"你就不能再想想什么办法吗？"

"博雅，办不到的事情，归根到底是办不到。"

"这可是圣上的圣谕啊。"

"是圣谕也罢，不是圣谕也罢，不可能的事情总归是不可能。"

"唔。"

"天地运行的原则就是这样。"

"嗯。"

"这就好比圣上降旨，命令明天的太阳不许升起一样——那是不可能做到的事。我并不是不愿意做，而是不可能做到。"

"我明白。"

"要让人不死，那是绝无可能。就算像白比丘尼那样，能够做到青春常在，但终归有一天，她还是逃不脱死亡的宿命。这是天地之理啊。"

"可是，祭祀泰山府君的事是圣上提起来的。说实话，晴明，我也非常为难……"

"祭祀泰山府君这种事，可不是随便谁都可以做到的。"

"的确不是谁都可以做到。圣上说啦，是要你晴明去办这件事啊。"博雅说。

"话又说回来，那男人怎么会提起泰山府君的名字呢？是不是有人从旁出什么主意？"

"这个嘛，倒好像确有其人。"

"是谁？"

"好像是道摩法师。"

"芦屋道满?！"

"不错。据说就是那个曾经施过还魂术的可怕家伙，提议把晴明你喊去，向泰山府君要回那和尚的性命吧。"

二

大约十天前，三井寺的智兴内供奉①病倒了。

与其说是病倒，不如说是睡着之后，就没再醒来。

平日在清早修行时必定按时起床的智兴内供奉，今天却迟迟不见身影。心生疑惑的年轻僧侣便跑去看个究竟，发现智兴仍在熟睡。呼唤了几声，不见有醒来的样子，于是伸手摇晃智兴的肩膀，却摇不醒。

年轻僧侣心想，他一定是昨天太累了，便任他继续睡。然而，白昼逝去，夜幕降临，甚至到了次日早晨，整整一天过去了，智兴内供奉依然没有醒来的迹象。

到第三天，大家终于感到大事不妙了。大家又是喂他水喝，又是拍打他的脸颊，试过了种种办法，可还是没能让他睁开眼睛。睡眠中的智兴不时痛苦呻吟，喉咙还不时发出响动。

第四天，智兴的呼吸渐渐变得细弱。第五天，双颊凹陷下去，再这样下去，看来势必要危及生命。到了第六天,本来只要把水送入口中，他好歹还能咽下去，现在也不喝了。终于连药师也束手无策。

大家也曾疑心可能是什么妖魔附体，于是请神念咒、诵经祈祷，却丝毫不见效果。

---

① 有资格主持皇宫内各类法事的高僧，共设十名。

第七天，一个叫惠珍的弟子领来一位自称是法师的人物。这人蓬头乱发，胡子拉碴，牙齿发黄，唯有双眼炯炯发光。他正是道摩法师。

道摩法师一会儿把手放在熟睡的智兴的额头上，一会儿用手指按按他的脸颊，又在腹部、脊椎等处探摸，浑身上下摸了一次又一次，终于说道："事已至此，大概无可救药啦。"

"啊?！"众人拥上来看的时候，智兴已经没有呼吸，心脏也停止跳动了。

"看来，除了求助于安倍晴明，请他赶快央求泰山府君助力之外，恐怕别无他法啦。"道摩法师这样说道。

泰山府君——原本是大唐的一位大神，是五岳之东岳泰山的大神，又称东岳大帝。

泰山自古以来就是死者的灵魂会聚之地。在这里审判死者魂灵善恶与否的大神，就是泰山府君。据说自从佛教传入日本后，泰山府君便与地狱的阎罗王形象合而为一，负责掌管人的寿命生死。

如果再进一步说明，将这泰山府君作为主神，负责主持泰山府君祭礼的角色，便是由土御门系的阴阳师来担当。其中，尤以安倍晴明最为有名。

话又说回来，第八天，道摩法师的话终于传到圣上耳中。

到了第九天，源博雅被悄悄传唤进宫，圣上命他传达诏令，要安倍晴明立即举行泰山府君祭。

于是，到了第十天，也就是今晚，博雅避开众人耳目，悄悄来到晴明宅邸。

三

"你看，情况就是这样，晴明……"博雅说道。

"可是，那男人为什么对三井寺的智兴内供奉这么关照呢?"

"这个嘛……"

博雅放下酒杯，朝庭院望去。

若在平时，每当晴明称呼天皇为"那男人"，博雅必定责备一番。但今晚他却没有这样做。

"从前，圣上曾经受到智兴内供奉不少照顾……"

"什么意思？"

"这是秘密。很久以前，圣上思慕过一个女子，她死后就埋葬在三井寺。有一天晚上，圣上非常想再见那女子一面……"

"结果呢？"

"结果智兴内供奉便避开众人，当着圣上的面，将那女子从墓中挖了出来，让圣上与那女子重新相会。"

"与那女子的遗体相会？"

"嗯。圣上借着火把的光亮凝望着女子的遗体，眼泪扑簌簌落下，说'死亡原来就是这个样子，人生在世应该尽情欢乐才不枉一生啊，以后参加宴席时要常常回忆这般容颜'……"

"……"

"忘了什么时候，圣上年轻时不是与一名女子山盟海誓，说将来一定要娶她进宫吗？还记得吗？就是那个每夜坐着没有牛拉的牛车，要到宫里来的女子。"

"她好像是叫龙胆吧。"

"嗯。她的坟墓就安置在三井寺。"

"哦，原来如此啊。"

"智兴内供奉就是如此特殊呀。听到他过世的消息，圣上情不自禁下诏要为他招魂续命，也是情有可原的。"

"唔。"

"可是，自圣上下诏后又过去一天半了，也许上意会有所改变。"

"希望如此。"

"不过，智兴内供奉的遗体与活着的时候一模一样，丝毫没有腐烂。恐怕是看见这种情形，圣上才异想天开，说出什么让智兴起死回生之类的昏话吧。此刻嘛……"

博雅话还没说完，晴明打断了他的话头：

"等等！你刚才说什么，博雅？"

"我是说，内供奉的遗体与生前毫无两样。到底是有德高僧啊，遗体也和一般凡夫俗子不同……"

"喂，博雅，说不定那智兴内供奉并没有死。"

"可是，呼吸也停了，心脏也不跳了呀。"

"这个嘛，要我自己去确认后才知道。"

"你肯去吗？"

"嗯。"

"那可太好啦。"

"如果智兴内供奉只是患有什么疾病，或者有什么妖魔附体的话，那倒不是没有我晴明的用武之地……"

"唔，哦。"

"不过，还有件事让我觉得奇怪……"

"什么事？"

"芦屋道满大人和泰山府君怎么会牵扯进来？"

"唔，嗯……"

"好了，坐在这里冥思苦想也不会有结果的。"

"那，怎么办？"

"去吧。"

"嗯。"

"走吧。"

"走吧。"

事情就这么定下来了。

四

第二天中午，晴明和博雅来到三井寺。

出来接待他们的，是一个名叫惠珍的年轻僧侣。

智兴内供奉仰躺在床上，晴明和博雅坐到他的枕边。

"昨天，还有前天，从比叡山请来师傅，作了祈祷。"惠珍向两人说道。

"大概没什么变化吧？"晴明若无其事地说道。

"正是。"惠珍点头。

"可是，为什么请比叡山的和尚来呢？"博雅问。

"从前，圆仁大师从大唐请来赤山明神供奉在比叡山山麓，其实就是泰山府君呀。"

晴明回答说："大约是因为圣上开了金口，就搞了个徒具形式的泰山府君祭礼吧。"

"今天比叡山也派什么人来了吗？"博雅问惠珍。

"已经吩咐人赴比叡山通告，说晴明大人今日驾临，所以应该不会有人来了。"

"那就太好了。"

说完，晴明将视线转向仰卧在床的智兴内供奉的脸。其他人已经回避，所以除了智兴，便只有晴明、博雅、惠珍三人。

智兴的脸颊消瘦，两腮的肉仿佛被刀子削去似的。眼眶凹陷，眼球形状清晰可见。颅骨更像是只盖了一层人皮。没有呼吸。把了把脉，脉搏也没有跳动。然而肌肤依然残留着微微的滋润，身体也很柔软。用手触摸其面颊和颈部，也没有冰冷的感觉，似乎还残留着微弱的体温。

晴明将右掌放在智兴内供奉的脸上，随后缓慢地向着颈部、胸部及腹部移下去。

没多久，晴明收回右掌，说道："好像是有什么东西。"

"有东西?!"惠珍忙问。

"是什么?"博雅也探身问道。

"究竟是妖魔附体,还是什么东西,情况还不太清楚。但有东西在体内是没有疑问的。"

"……"

"智兴内供奉还活着。"

"那……"

"救他性命是可以做到的,只不过……"

"只不过什么?"

"我觉得奇怪的是,泰山府君的大名为什么是从道满口中说出的。"

"您的意思是……"

"这个房间里的人,可能谁会有生命之虞。"

"这个房间里的人?晴明啊,到底是谁?"

"不是我,就是你。再不然就是惠珍大人喽。"晴明轻描淡写地说道。

"如果是我的话,这条性命绝不吝惜。进入三井寺已二十余年,一直修行至今,成果仍然不如人意。这样的无用之身,若能为内供奉大人一死,实在是求之不得。"惠珍答道。

"既然有此心志,那么能否请你准备好笔墨纸砚,拿到这边来呢?"

晴明说完,惠珍立刻把所要的东西准备齐全了。

"接下来要做的事情,就是骗过我们要祭祀的大神泰山府君啦。"晴明一边磨墨一边说道,"弄不好的话,我自己的生命也很危险。但在事情办妥之前,就让泰山府君把注意力集中在你身上吧。"

"我该怎么做才好呢?"

"请稍等一下。"

晴明用笔蘸足磨好的墨,拿纸在手,迅速在上面写起来。

"晴明,你在写什么?"

"祭文。"

"祭文？"

"是啊，用唐文写的祭祀泰山府君的祭文。"

写完之后，晴明将那张纸递给惠珍，说道：

"能否请你亲笔在这里签个名字？"

惠珍接过晴明递过来的笔，在祭文的最后签下自己的名字。

"好了，请把它放进怀里，在外廊内支起围屏，坐在里面念经。"

"念什么经呢？"

"《法华经》也行，《心经》也行，念什么都没关系。只要我没说停，你就要一直继续念下去。不然，你我的性命都会十分危险。"

"明白。"惠珍的身影消失了，不久，便响起诵经的声音。

"晴明，你这是在做什么？"

"那祭文的意思是，惠珍自己情愿代替智兴内供奉，把生命奉献给泰山府君……"

"那，惠珍大人他……"

"没关系，只要他一直在诵经，就不会有问题。趁这段时间，只要我们把这边的事情解决好就行了。"

"怎么解决？"

"就这样啊……"晴明将剩下来的纸拿在左手，再从怀中取出一把小刀，开始裁切那张纸。

"你这是打算做什么？"

"你只管看着就是啦，博雅。"

晴明用那把小刀灵巧地裁出两个东西。一个是小小的纸人，身披盔甲，腰佩长刀，手持弓箭，好像是全副武装的武士。另一个则是豆粒大小的狗。

"把这个呀……"

晴明伸出左手，掀开智兴内供奉的嘴唇，再撬开牙齿，把小纸人塞入智兴口中。

接着，晴明拿起那只豆粒大小的纸狗，用左手掀开智兴衣服的下摆，把右手中的纸狗伸进那下摆之中。

"你这是在做什么？"

"把这只狗，塞入智兴大人尊贵的后庭中呀。"

似乎很快就结束了，晴明的右手从智兴的衣服下摆抽回时，手中捏着的纸狗已经不见了。

晴明口中开始小声地念起咒语。于是——

智兴内供奉的下腹部猛地抽动了一下。

"看！晴明，腹部动了。"

晴明没有回答，继续念着咒语。智兴腹部又猛地抽动了一下。

"又、又动啦！"博雅提高了音量。

抽搐。又抽搐。智兴内供奉体内有东西蠕动起来，这蠕动渐渐向上半身移去。

"这是怎么回事？"

"那只狗正在驱赶智兴内供奉体内的东西。"

晴明回答博雅后，又继续念起咒语来。

不久，智兴喉头一带的肌肉仿佛有东西在从内向外挤压。一凸，又一凸，向外鼓动起来，就像一只小小的猛兽在暴跳奔突。

智兴双唇之间不时忽然伸出獠牙，又缩回去。而且，他的额头上好像要长出角似的，一会儿高高隆起，一会儿又变得平坦。那里的皮肤已经撑裂，渗出了鲜血。

"啊呀！晴明，内供奉大人被妖魔……"

"别管它，博雅。暂且就这样由着它吧。"

果然如晴明所言，獠牙也罢，额角也罢，喉咙中的暴跳和奔突也罢，都渐渐平息下来。一切终于重归平静。

"好像结束了。"

晴明用左手掀开智兴的双唇，撬开他的牙齿，在智兴嘴前张开右掌。于是，从智兴内供奉的口中，走出了牵着狗的武士。

"晴明！"

那位武士连同狗，一起走到晴明的右掌上。仔细看去，那武士双手抱着一个雀卵大小的白色圆球。

"结束了。"

晴明话音刚一落地，武士和狗立即变回原先的小纸人和纸狗模样，右掌上只剩下两张纸片和一个白色的蛋。

"这是什么，晴明？"

"就是智兴大人体内的东西。"

"在他体内？"

"不妨称为虫，也不妨称为病，总而言之，可以说是寄居在智兴内供奉体内的邪恶之气吧。"

"它又为什么是蛋形呢？"

"是我让它变成这样的，目的是让它暂时动弹不得。"

"让它动弹不得？"

"正是。如果它动起来，附到你身上的话，博雅，这下就该轮到你变成智兴内供奉这副模样喽。"

"那么，智兴大人呢？"

"平安无事了。这不是已经开始呼吸了吗？"

听晴明这么一说，博雅转眼看去，果然，尽管还非常微弱，智兴内供奉的胸脯也正在缓缓地上下起伏。

"他很快就会醒过来的。"

晴明转向博雅说："已经差不多了。博雅，你去把惠珍大人请来吧。"

五

智兴内供奉的脸颊依然憔悴不堪，但脸上已经恢复了血色。就在刚才，他多次吸吮浸满水的布巾，喝下了不少水。此刻闭着眼睛，发出静静的鼾声。

他的枕边，坐着晴明、博雅，还有惠珍。

"接下来……"晴明向惠珍说道，"有许多事情，不得不请你向我讲清楚。你明白我的意思吧？"

听了晴明的话，惠珍似乎下定决心，仰起脸来点点头低声应道："是。"

"你们究竟做了什么事，被道摩法师抓住了把柄？"

对晴明的问话惊诧不已的，不是惠珍，反倒是博雅。

"喂! 晴明，你怎么忽然问起这种话来？"

"芦屋道满，说来就好比是寄生在人心里的蛆虫。是人的心主动招惹这个家伙来的。他去吞噬别人的心，仅仅是为了排遣无聊……"

"……"

"但即便是道满，如果不是你们自己有所贪图，他对你们也是无可奈何的。你们究竟要那家伙为你们做什么？"

被晴明这么一问，惠珍低下了头。

"犯……犯色戒……"惠珍声音沙哑着小声答道。

犯色戒——就是说，身为僧侣而触犯戒律，与女性发生肉体关系。

"你们……不如说是智兴内供奉吧，他到底怎样犯了色戒？"

"是尸、尸体。智兴大师用女、女尸犯了色戒。"

惠珍声音期期艾艾，说不下去了。

"到底发生了什么事情？"晴明追问道。

惠珍嘶哑着声音，开始低低地述说起来。

"从做童男时起，我便受到智兴大师的宠爱……"

六

童男，就是寺院举行法事和祭礼的时候，打扮得漂漂亮亮的参加仪式的童子。一般是七岁至十二岁的儿童，有时他们还兼任神灵降临时的媒介，称作乩童。由于戒律禁止僧侣与女色有染，童男有时便成为僧侣的发泄对象。

惠珍亲口坦白，自己还是一名童男时，就已经成为智兴的禁脔。长大成人，正式当上僧侣之后，两人的关系依旧持续。

"这样下去的话，难道我竟要连女子肌肤是什么滋味都不知道，就这么死去……"

惠珍说，大约从三年前开始，智兴偶尔表露出这样的心思。

今年，智兴已经六十二岁，身体已经衰老，体力也逐渐减弱。

"死去之前，哪怕就一次也行，真想体验一下女人的身体究竟是什么滋味。"

然而，戒律规定不得触犯色戒。

这时，道摩法师出现了。

一天夜里，惠珍正要从智兴身边离去的时候，智兴内供奉夹杂着叹息，再次喃喃感叹类似的话。就在这时，有一个声音钻了进来：

"人生如梦，为欢几何？既然这么想做，又为何不真做呢？"

朝外看去，只见夜晚的庭院中，道摩法师沐浴着月光站立在那里。

"侍奉佛祖也罢，侍奉鬼神也罢，同样是为人一世，连女人肌肤的滋味都不曾尝过，这样的一生该是何等索然无味啊。"

道摩法师得意地微笑着说："喂，能不能给我弄碗泡饭吃吃啊。吃完以后作为谢礼，我会告诉你一件好事。"

好奇怪的男人。双足赤裸，浑身肮脏，身上穿的是下人们穿的破烂不堪的窄袖便服和肥腿裤。他究竟是从哪儿钻进来的？

然而，他却拥有一种不可思议的吸引人的磁力。惠珍不由自主地准备好一碗泡饭，端了过去。

道摩法师就那么在庭院里站着，一眨眼的工夫便把泡饭吃光了。

"就叫我道摩法师吧。"说着，他把饭碗放在外廊内。这个人既没有剃发，也没有穿法衣，真不知算是哪门子的法师。

"法师大人，刚才所说的好事究竟是……"惠珍仿佛鬼迷心窍似的，问道。

"想知道吗？"

"是。"

"既不犯色戒，又可以跟女人干那好事哟。"道摩法师得意扬扬地说道。

"那怎么可能？"

"今天中午，后山埋葬了一个女人。刚刚死的，才二十四岁哟。你听好：死了的女人就不能算是女人，只不过是一件拥有女人肌肤的东西罢了。最难得的是守口如瓶。现在还没有生蛆生虫。但要是错过今晚，就不会再有机会啦。我说要告诉你的好事，就是这个了。"

说完这些话，他丢下一声："我走了。"

道摩法师转过身去，便无影无踪了。

"真是的！说些什么鬼话……"

惠珍说着，转身回头看去。一瞬间，他将还未说完的话咽了回去。只见智兴两眼发直，身体微微地颤抖。

站在那里的智兴，分明与惠珍此前了解的判若两人。

七

"结果，你们真的去了，是吧？"晴明问。

"是。"惠珍点点头，"是我用铁锹把散发着浓烈泥土气味的女人挖出来的。然后……"

"智兴内供奉做了？"

"是。做了三次。"

"三次？"博雅不禁惊呼。

"第三次结束时，有个声音从背后传了过来。"

"看见啦! 看见啦!"

那声音让人胆战心惊。回头一看，只见道摩法师浑身仿佛沐浴着月光，站在那里。

"真做了呀! 真做了呀!"

道摩法师哈哈大笑。

"喂，你知不知道，这个女人三月二十八生，是属蛇的女人哟。"

他乐不可支地说着。

"你玷污了与泰山府君同日出生的女尸。这件事意味着什么，你大概不会不明白吧……"

道摩法师的口气似乎迫不及待。

"你可是偷了本该奉献给泰山府君的供物啊，呵呵,后果会怎样呢?"

说完，在月光下，道摩法师手舞足蹈地消失了。

"那是十天前晚上的事?"晴明问道。

"是。"

回到寺院后，智兴就说头痛，身上感觉不舒服，便上床倒下了。

"事情的经过就是这样。"惠珍说道。

"听说你还把道摩法师领来过一次……"

"不。其实是道摩法师自己到寺院里来，说是来打听智兴内供奉是否无事。"

"这大概是实话吧。"

"他这又是为了什么?"

"他的目的是说出我晴明的名字，好设下圈套让我到这里来。"

"那法师……"

"没错。迄今为止，大家都被这家伙玩弄于股掌之中。你是如此，我也如此……"

听了晴明的话，惠珍不禁哑然。

"真是危险得很啊。但现在已经没事了。"晴明说。

"真的吗？"

"请把我刚才交给你的咒文还给我好吗？"

晴明接过惠珍从怀里取出的咒文，摊开来，拿起一旁还没有收拾的笔，把惠珍的名字涂去，在旁边写下了自己的名字。

"啊！"惠珍惊叫出声，"这样的话，晴明大人，您……"

"我的事情，不用担心。"

"喂！晴明，你要干什么？"博雅慌忙站起身来。

"这里的事情全办妥了，我要回去了。你不妨这就去向圣上汇报，就说晴明说的，事情已经全部结束了。"

"喂！喂！"

博雅向着已迈步走去的晴明喊道。

"我得抓紧时间。今天晚上还得做好准备，迎接泰山府君呢。"

八

在晴明宅邸的外廊内，两人在饮酒。和昨夜一样，只孤零零地点了一盏油灯。

晴明背靠廊柱，悠闲自在地举杯送往唇边。博雅虽然也举起杯来，却显然是一副心神不宁的模样。

两人之间，另放有一只琉璃杯，盛着一个小小的蛋形物。这正是纸武士和狗从智兴内供奉体内赶出来的东西。

夜晚的庭院与昨夜一样，漂浮着极其细微的水雾，难以辨明是细雨还是雾气。

不知是因为将近满月，还是充盈在大气之中、宛似雾霭的水汽比昨天要少，天空中的青光似乎多少比昨夜明亮。

湿润的植物气味浓浓地飘溢在两人周围的夜气中。

"可是，到底是怎么回事，晴明？我现在觉得还是一笔糊涂账呢。"博雅一边端起酒一边说道。

"我不是说了吗？"晴明回答。

"你说什么了？"

"是那位道满大人让大家陪他一起消遣、打发无聊啊。"

"你说什么？为了消遣？"

"没错。那家伙第一次出现时，怂恿智兴内供奉去搞女人，那时他就已经下了咒。"

"又是咒啊？"

"正是。而这恰恰是智兴内供奉心中渴望的事情，道满只是原封不动地把它说出来，这样就牢牢俘获了智兴内供奉的心。"

"哦。"

"在这次事件中，力量最大的咒大概要数泰山府君了。"

"泰山府君？"

"所以智兴内供奉才会惶恐不安到极点，体内自然而然便生出了这种东西。"

晴明看了看琉璃杯中的东西。

"这到底是什么？"

"是智兴内供奉由于惊恐过度而在体内生出的东西，说得简单些，就是鬼了。"

"你说得一点都不简单。为什么说这东西是鬼呢？"

"对智兴内供奉来说，虽说对方是尸体，但毕竟还是犯了色戒。这种罪恶意识加上对泰山府君的畏惧，以及智兴内供奉苦修了几十年犹自割舍不了的种种欲念，都在这里面。"

"哦……"博雅似懂非懂地回应。

"等这东西孵化出来，我打算拿来当式神用。"

"用这个吗？"

“嗯。”

“会孵出什么东西？”

“这个嘛，就不得而知了。这原本是无形的东西，所以我只要下令，无论是什么虫的形状或者鸟的形状，大概都可以孵出来吧。”

“原来是这么回事啊。”

“就是这样了。这可是无价之宝啊，博雅。”

“这算什么无价之宝！”

“你想一想嘛，这可是那位智兴内供奉长年修行之后仍然未能割舍的东西啊，一定会成为强有力的式神。”

“晴明，弄不好你从一开始就是为了这个才到三井寺去吧。”

“这怎么可能？”

“值得怀疑。”

“我是听说了道满的名字，感觉那家伙是在诱我出面，才去三井寺的。”

“你刚才不是说，那家伙是为了消遣才做的吗？”

“我是说了。”

“你明知是消遣，还偏要赶去吗？”

“我也想去消遣一下呢。道满大人究竟预备下什么东西来打发无聊，我也很感兴趣呀。”

“可是，弄不好会出人命，对不对？”

“嗯，是这么回事。”

“而且照你的说法，这件事似乎还没有了结，是不是？”

“嗯。”

“泰山府君会来这里把你带走吗？”

“这个嘛，大概是要来的吧。”

“真的？”

“真的。”

184

"晴明，我还是觉得难以置信。所谓泰山府君，真的有吗？"

"要说有，就有；要说没有，就没有。这次，道摩法师是用泰山府君的名字施了咒，所以应该会有吧。"

"我听不懂。"

"博雅，这个世界是由好多'层'和'相'构成的。"

"……"

"在这些'层'和'相'之中，有一个便是泰山府君啊。"

"但是，我怎么也不能相信在某个地方有个地狱，那里有一个名叫泰山府君的东西，可以随心所欲地决定人的寿命，想延长就延长，想削短就削短。"

"博雅，我不是曾经说过吗？虽说是泰山府君，归根结底也仅仅是一种力量。是这种肉眼看不见的力量支配着人类的生命和生命的长短，从这层意义上讲，泰山府君无疑是存在的。"

"……"

"当人们祭祀这种力，并将其称为'泰山府君'，从那一刻起这种力就成为泰山府君了。而当这个世上没有一个人知道'泰山府君'这个名字的时候，'泰山府君'也就消失了，只剩下这力还存在罢了。而且，如果改变对这种力量的称呼——也就是改变咒，这种力就可以既是泰山府君，又可以作为迥然不同的东西出现在这个世上。"

"说来说去，使泰山府君成为泰山府君的，归根结底是因为人们施了咒？"

"正是这样。博雅，这个世上所有的东西，其存在形态都是由咒决定的。"

"我搞不懂。"

"是吗？"

"搞是搞不懂，但这位泰山府君今晚还是要到这里来，把你抓走吧？"

"因为我把那纸上的名字改成我的名字了嘛。"

"它来了的话，我能看见它吗？"

"想看就可以看见。"

"它究竟是什么样？"

"总而言之，你觉得泰山府君是什么形象，它就会以什么形象出现在你面前。"

"唔。"

"那是一种无比强烈的力。但到这里来的，仅是这力的一部分。"

"那么，你不害怕吗？"

"船到桥头自然直。"

晴明正这么说时，庭院里忽然现出了一个模模糊糊的人影。

"那是什么？！"博雅刚要起身。

"是我。"那个影子答道。

芦屋道满——道摩法师正站在庭院的草丛之中。

"欢迎。"晴明淡淡说道。

"我看热闹来啦。"

说罢，道满穿过草丛，优哉游哉地向两人相对而坐的外廊走来。

"看看足下与泰山府君如何了结啊。"

道满得意扬扬地笑着，盘腿坐在外廊的一角，抓过放在外廊内的酒瓶。三个人喝起酒来，都沉默无语。唯有时间在流逝。

也许是心理作用，天空的月色仿佛变得明亮起来。

"博雅，笛子……"

博雅从怀里取出叶二，贴在唇上。笛子的旋律流入夜空之中。

时间流逝。突然——

"来了……"道满低声道。

博雅刚打算停止吹笛，晴明用眼神制止了他。

博雅一边继续吹着笛子，一边纵目凝望庭院深处。

只见在大枫树下的草丛中，依稀浮着一团白色的东西。夜色中，那白色的东西像是由沐浴着月光的细微水雾凝聚而成，又像是一个身穿白色官服便袍的人。

仿佛是随着博雅在心中将它看作人影，那白影子便缓慢地变成了人的身姿。

那影子似乎盘踞在草丛中，又似乎在侧耳倾听博雅的笛声。它无声无息，缓慢地移近前来。根本没看到它在走动，它却已在不知不觉中来到附近。

一双冷静的眼睛，看上去既像年轻男子，又像女人。脸上毫无表情，令人不禁毛骨悚然。

一种恐怖的气氛弥漫开来，让人觉得即使它冷不防张开血盆大口，露出狰狞的獠牙，也没什么可奇怪的。

当这个东西终于接近外廊时，晴明伸手举起那只装有白色蛋形物的琉璃杯。蛋形物在杯中裂开了。一种焕发着柔软的光芒、仿佛雾一般的东西漫溢出来，从杯口向外漫出，形状缓缓增大。

它变成了一只麻雀大小的蓝蝴蝶。

晴明左手从怀里掏出那张写有咒文的纸，递至蝴蝶前，蝴蝶轻飘飘地浮在空中，用脚抓住了那张纸。那只美丽的蓝蝴蝶，头部是晴明的脸。

蓝蝴蝶就这样抓着纸，飘然向空中飞去。

于是——

白色的影子蠕动起来。看不见有任何动作，它便飘然浮到空中，将蓝蝴蝶拢在双掌内。

刚感觉到银色的雾气在夜色中流动，一刹那，白色的影子和蓝蝴蝶便消失得无影无踪。

晴明举目注视着白影消失的地方。博雅从唇边拿开笛子。

"了结了吗……"博雅声音嘶哑，问道。

"了结了。"晴明回答。

"太好了。我要不是在吹笛子，也许会大叫大嚷着逃之夭夭的。"

博雅深深地呼了一口气。

"那就是泰山府君吗？"

他问晴明。

"没错。"

"我觉得看上去很像你，是一个身穿白色狩衣的美貌青年男子。你看着觉得它像什么？"

然而，晴明没有回答博雅的问题。

"真是太绝了……"

道满说罢，放下酒瓶，站起身来。

"泰山府君把你做的式神，当成你带走了……"

"是。"晴明静静地点点头。

"嘿嘿。"道满小声笑了笑，朝院中走了几步，又停了下来，"喂，晴明……"

他回过头来，心满意足地笑了笑。

"下次再陪我玩吧。"

转过身子，道满再次迈步走去。

"愿意随时奉陪……"晴明静静地说。

道满拨开草丛走去。月光静静地洒满他的背。

不一会儿，道满的身影也溶入庭院的黑暗中，看不见了。

晴明轻轻叹了口气。

骑在青鬼背上的人

一

二人举杯对饮。

浓浓的秋意漫溢于夜色之中。

秋意拂过杯中满满的酒面。仿佛是在饮着这份秋意一般，晴明和博雅不时将酒杯送往唇边。抿一口掠过酒面的秋风，便觉得深深充盈在大气中的秋意和着酒一起，径直渗入肺腑。

"你的心很好嘛，晴明。"

不仅仅是因了酒的缘故，博雅陶然欲醉似的叹息。

这是位于土御门大路的安倍晴明宅邸。在面对着庭院的外廊内，两人相向而坐。

博雅坐在圆形草垫上，晴明则身着白色狩衣，背倚着一根廊柱。

晴明右手擎着琉璃杯，目光漫不经心地投向夜色中的庭院。

一盏灯火孤零零地亮着。一阵阵湿润的风飒飒地吹过庭院中的草丛。女郎花、龙胆、濒临凋谢的胡枝子花在风中摇曳。

将近满月的青色月光，从正上方泼洒下来。夹杂在金钟儿、金琵琶、蟋蟀的鸣叫声中，邯郸的音色分外清脆，回荡在夜晚的大气中。这庭院仿佛是将秋日的原野原封不动地搬来这里一般。

五天前，刚刚有过一场暴风雨。暴风骤雨将残存的夏日余暑从大气之中掠走，不知带去了何方。夜幕降临时，天空变得清澄，充满了凉意。

"这样的夜晚，不知为什么，总让人觉得有些伤感啊。"博雅说。

"是啊。"晴明简短地应道。

二人有一句没一句地交谈着，不紧不慢地饮着酒。

"真是美好的夜晚啊……"博雅呷了一口酒，"如此良夜，就算身为妖怪，恐怕也会情不自禁，心有所思吧。"

"妖怪吗？"

"是啊。"

"即便是妖怪，也无非是生于这天地之间，和人不无关联。人心如果有所触动，妖怪的心只怕也会有所触动吧。"

"照你的说法，倒好像人心能够左右妖怪似的。"

"不是好像，我是说能够啊。"

"人心能左右妖怪？"

"嗯。"

晴明点点头，打算接着说下去。

"等、等一等，晴明！"

博雅忙说。

"什么事？"

"你现在是不是打算谈咒的事？"

"没错。果然是知我者，博雅也。"

"得啦，咒的事就不要多说了。"

"为什么？"

"我觉得一旦你谈起咒的话题，心里的快乐情绪好像就会离我而去啦。"

"是吗？"

"所以说，晴明啊，你就让我这样安安静静地再喝一阵子酒吧。"

"唔。"

"我呀，就像现在这样，悠闲自在地和你一起开怀痛饮，心情最舒畅啦。"

"哦。"晴明露出一丝说不清是苦笑还是微笑的笑容，支起一只膝盖，兴趣盎然地望着博雅。

"对了，你刚才的那句话……"博雅说。

"刚才的哪句话？"

"就是妖怪也会心有所思那句……"

"那句话又怎么了？"

"五天前那个暴风雨之夜，橘基好大人好像遇到了呀。"

"遇到了？遇到什么？"

"怪事呀。"

"呵呵。"

"在一条大路的木望楼里。"

"望楼？那样的狂风暴雨之夜，基好大人为什么跑到那种地方去？"

"还不是为了女人嘛。"

"女人？"

"基好大人也没说对方是谁，反正那个晚上，基好大人在望楼里和一个女人幽会，就是那时候遇到怪事的。"

博雅打开了话匣子。

二

那天夜里——从傍晚开始下起大雨，天色愈晚，雨下得愈大。

橘基好和女人在木望楼里，心不在焉地听着风雨声。

木造的望楼，原本就不是供人居住，而是为了观赏在一条大路上举行的贺茂祭而建造的。

两个人都已将随从打发回各自的府邸。事前已吩咐随从，天明时再来迎接。可看到眼下这情形，基好有点后悔，不该打发他们先行回去。

室内点着两盏灯火。虽然也预备了酒菜，然而因为木板窗透风，灯火摇曳不停，令人心神不宁。木板窗发出咯吱咯吱的响声，根本不是饮酒作乐的氛围。

随着夜色加深，风雨愈来愈强烈，木板窗被剧烈地拍打着。

窗上的护板轻轻抬起，一阵疾风吹进来，把一盏灯吹灭了。

到了深夜，狂风骤雨越发强劲起来。结果，剩下的一盏灯也被吹灭了。雨点击打着屋顶，狂风在屋檐边呼啸。整个木房子在风中摇晃，简直像飘浮在空中一般。仿佛有一只巨大的手，不知是从天上还是从地下伸出来，拼命地摇晃着望楼。

两人惊恐万状，紧紧地搂抱在一起，不停地念佛祷告，不知不觉中竟昏昏睡去了。

等他们猛然醒来，发现刚才那剧烈的风雨声已经听不见了。

剧烈地击打着屋顶的雨声也好，咯嗒咯嗒摇撼着木板窗的风声也好，都消失得无影无踪。正是这种无法形容的寂静，竟然使两人从睡眠中醒了过来。

这时——

不知从何处传来了声响。是低沉苍老的男子声音。

侧耳倾听，那声音仿佛在念诵着什么偈语，渐渐趋近了。

诸行无常

诸行非常

万物变幻

迁移他方

似乎是在低诵着这样的诗句，低诵完又唱诵起来。

> 诸行无常
> 是生灭法
> 生灭灭已
> 寂灭为乐

仿佛歌唱一般，那声音高声诵读着《涅槃经》中的一段。

奇怪啊……

基好觉得不可思议，便打开了木板窗，才发现不知何时已经风停雨息，云开雾散了。清澈的夜空中，月亮探出脸来，是半月。

从疾速流过天空的云朵间，青青的月光把一条大路照得亮亮的。大路中央，有个东西披着月光正在行走。仔细望去，发现那是身高直抵屋檐、长着马头的鬼怪。原来就是这鬼在念诵《涅槃经》。

"诸行无常，是生灭法……"

一边朗声诵读，一边沿着一条大路由西向东，悠然迈步而去。

这光景既让人感到恐惧，又让人觉得恸心。

就这样，基好和女人躲在木板窗后的暗处观望，只见马头的鬼魅走过望楼前，在皇宫方向消失了。

三

"总之，晴明，事情经过大体就是这样……"博雅满面感慨地说道，"这难道不是好事一桩吗？就算是妖魔鬼怪，有时也会陷入这样一种心境啊……"

博雅擎杯在手，大口喝酒，仿佛要让酒渗入五脏六腑一般。

"那是雪山童子的舍身偈吧。"晴明道。

这雪山童子的舍身偈，原是《涅槃经》中的一段故事。

有一天，雪山童子为了追求佛法行走在山中，不知从何处传来一个声音："诸行无常，是生灭法……"

此世的众生万物都变幻无常，有生就有死，这才是此世的真相——那个声音这样吟唱道。

雪山童子朝着声音传来的方向走去一看，原来竟是个妖魔，在深山中念唱着诗句。

"求求您了，请让我听听下文吧。"雪山童子说道。

"我肚子饿了，唱不下去了。要是让我吃上几口热乎乎的人肉、喝上几口热乎乎的人血，就可以让你听听下文啦。"妖魔这样说。

"那么，就请吃我的身体吧。"

"生灭灭已，寂灭为乐……"

童子话音刚落，妖魔便唱起后半偈。

摆脱有生必有死这一无常的痛苦，并且消除心中的迷惘，就能获得心灵的安宁，这才是真正的安乐——那妖魔如此说道。

童子喜悦至极，在周围所有的树木和石头上一一写下这些句子，然后自己纵身投入妖魔的口中。

霎时间，妖魔变成帝释天的形象，唱诵着喜庆的祝辞，抱着童子向着天空飞升而去。

这便是雪山童子的舍身偈故事。

"是啊，把这个偈语唱给雪山童子听的，就是妖魔嘛。"

"可那不是帝释天变幻的吗？"

"是啊。所以基好大人看到的鬼怪，说不定也是下贺茂或者什么地方的神变幻的呢。"

"哦。"

"也就是说，鬼也罢神也罢，从这个意义上来说，都是相同的嘛。"

"是吗？！"

晴明对博雅这番话似乎颇觉吃惊，不由得提高了声音。

"怎么了？"

"好啊，博雅！因为你说得很惊人啊。"

"什么意思？"

"你刚才不是说，鬼也罢神也罢，都是一样的吗？"

"是说了。那又怎么样？"

"所以我才说，这很了不起啊。"

"怎么了不起啦？"

"因为事实正如你说的那样。"

"……"

"鬼也罢神也罢，归根结底，如果不和人发生纠葛，他们就不会存在于这个世上吧。"

"什么？"

"正是人们的心，让鬼神之类生到这世上来的。"

"你该不是打算说，是由于咒让他们存在于这世上吧？"

"正是由于咒，鬼神才存在于这世上。"

"……"

"如果尘世中所有的人都消失了，种种鬼神也会随之消失。"

"好了，晴明啊，你说的这些话太深奥了，我听不懂。"

"这可不是我说的。是你先说的啊，博雅。"

"我可不记得我说过。"

"不记得，才是你最了不起的地方。"

"别把我当傻瓜。"

"根本没有。"

"真的？"

"我这是在赞美你呢，博雅。"

"你可别拿这种话来糊弄我……"

"我怎么会糊弄你呢？"

"真的？"

"真的。"

"不行不行。我还是感觉好像又被你骗了。"博雅把酒送往唇边，"也说不清是怎么回事，我觉得刚才满腔的陶醉心情，此刻好像已经烟消云散，不知飞到哪里去了。"

"那可真是抱歉喽。"晴明用食指搔搔额头，说，"既然如此，作为补偿，我带你去一个有趣的地方吧。"

"有趣的地方？"

"明晚你有空吗？"

"有空是有空，可究竟是怎么回事，晴明？"

"用你刚才的话来说，就是因为人心的缘故产生了鬼。"

"鬼？"

"是的。"

"究竟怎么回事？"

"让鬼产生的，是鸭直平这个家伙……"

于是，晴明开始讲起这个故事。

四

有一个名叫鸭直平的男子，年龄约莫四十来岁，是个眉目间依然留着几分清秀的男人。

直平的妻子名叫萩。她虔心信佛，虽然目不识丁，却能诵念《涅槃经》。

虽然结缡已有一十二载，可是约莫一年前，直平新结识一名女子，到春天便将妻子休了。

遗弃妻子之后，直平便对她再也不闻不问。一个月、两个月、三个月过去了，随着时光流逝，奇怪的流言传到直平的耳朵里。

那流言并不是说妻子有了新的男人，而是说每到夜晚，妻子便开始做稀奇古怪的事情，有了莫名其妙的举动。

据说是每当夜色降临、四周漆黑一片时，妻子便会走出家门，一边飞也似的四处奔跑，一边呼唤着直平的名字。

"直平大人，直平大人……"

她赤裸着双脚，一会儿跑到这边的小树林里，一会儿又跑到那边的森林中。

"亲爱的直平大人，您到底在哪儿啊？"

她高声呼唤着疾速飞奔，有时，声音又陡然一变，极为可怖地大吼大叫：

"你这个坏蛋，直平……"

有时也会整晚都不出房门，独自守在家中。有人担心出事，偶尔前去打探。

"直平大人，直平大人……"

只见她口中念念有词，用牙齿吭哧吭哧啃着家里的木柱子。

据说到了夏天，萩忽然不吃东西了。左近的邻居偶尔遇见她，只见她仅剩下皮包骨，一天比一天消瘦衰弱下去。

听到风声，直平开始有点担心。一天，他忽然心血来潮，决定去看看她。然而走去一看，发现屋里一片寂静，丝毫没有人在这里生活的迹象。直平胆战心惊地朝里面窥望，发现有一个人倒在地板上。

走进去仔细一看，发现倒在地上的正是被休的妻子萩，她早已断气。更为可怖的是，死去的萩裸露的牙齿咬得紧紧的，怒睁着双眼。

死不瞑目——也就是说，她是怀着满腔怨恨死去的。

"从三天前起，就没有再听见声音，大概就是三天前死的吧。"邻居们议论纷纷。

这个女人，父母都早已去世，也没有其他亲戚可以投奔。所以没人来安葬她，遗体就那样搁在家中。

然而，直平已经与她离婚。事到如今，这个女人虽然死了，直平并没有考虑要为她做些什么。就这么听任她的遗体搁置着，直平径自回家了。

不久，又有奇怪的流言传入直平耳中。

任凭许多天过去，萩那被弃置不顾的遗体，竟丝毫没有腐烂的迹象。头发不脱落，骨骼也不散架，全身依然原样未变。不仅如此，据说一到半夜，家中便亮起青光，房子里发出声响。

而且，据说屋内还会传出女人呼喊的声音：

"直平大人，直平大人……"

直平毕竟觉得奇怪，终于又决定去看个究竟。

夜晚还是让人害怕，所以他是在白天去的。透过门缝朝里面张望，果然发现有女人倒在地上。去世已经四十多天了，萩的尸体确实没有腐烂，头发也没有脱落。

萩的尸体又细又瘦，变得如同木乃伊一般，面孔正对着大门的方向，眼睛依然怒睁着。全身和脸部明明都已经干枯，眼珠却还泛着湿润的光泽。

直平忍不住"啊"地脱口惊呼，脸一缩离开门缝，纵身向后跳开去。

五

"这是两天前的事情。"晴明说。

"可是，晴明，你怎么会知道这件事？"博雅问。

"鸭直平今天中午到我这里来过一趟。"

"原来如此。"博雅点点头。

听直平说完，晴明扳着手指一天、两天地计算了一下天数，对直平说："这可是一件相当棘手的事情，一两天内不想办法解决的话，恐怕就要危及你的性命了。"

听晴明这么说，直平不禁惊慌失措：

"请救救我吧，不然我会被那个女人折磨死的。"

"虽说有不少方法，今晚……不，还是明天晚上最为稳妥吧。"

"我该怎么办才好呢？"

"好办法倒是有一个，但恐怕得要你担惊受怕，饱尝恐惧。你有这个准备吗？"

"准备？"

"本来起因就在你自己嘛。就算担惊受怕、饱尝恐惧，也总比命归黄泉好得多吧？"

"是……那倒是。"

直平点头，又连连恳请说万事拜托，然后才回家。

"那么，明天晚上，你到底打算怎么办？"博雅问。

"这个嘛……"晴明从怀里取出块手掌大小的人形木片，说，"是我今天刚做好的。"

博雅接过木片，凑到灯火前仔细一看，发现上面写着当事人的名字"鸭直平"。

"这是什么？"

"就用这个，能救直平的命。但明天晚上他大概会吓得半死吧。"

"怎么？你说要他担惊受怕，原来是真的啊。"

"那不是理所当然吗？"

"可你不是经常拿一些鸡毛蒜皮的小事来吓唬别人，自得其乐吗？"

对于博雅的话，晴明没有反驳，反倒点头赞同。

"是啊。不过，这次可是真话。如果不照我说的去做，直平弄不好就没命了。"

"你究竟打算怎么办？"

"明晚你来了就知道了。"

"明天晚上吗？"

"傍晚以前直平到这里来，然后我们一起出发。"

"去哪儿？"

"下京。就是那女人的家。"

"下京？"

"怎么样？你来不来？"

"唔……"

"去不去，博雅？"

"嗯。"

"去吧。"

"去吧。"

事情就这么定了。

六

安倍晴明、源博雅、鸭直平三人站在一所房子的门前。太阳已经西沉，黑暗逼近四周。

西边的天空还很明亮，但那所房屋的周围，漆黑的夜色却显得尤其幽暗。四周野草丛生，一片荒凉景象。

"进去吧。"晴明催促着。于是三人走进屋里。

"不要紧吧？"直平忐忑不安地问。

"只要你意志坚定就行。"晴明说。

走进屋里，发现整栋房子里都泛着朦胧的青光。果然，屋里有一具女尸俯卧在地上。一如流言传说的那样，她的身体没有腐烂，头发也没有脱落。

直平的身体止不住地颤抖着，躲在晴明的背后望着女人的尸体。

"怎、怎么办？"他声音嘶哑着问道。

"请跨在这尸体的背上。"晴明简短地说。

"跨在这、这个上面吗？"

"没错。"

直平哭丧着脸看着晴明。

"来，快一点！"

晴明说完，直平用求助的眼神看看博雅，最后一副听天由命的模样，跨到了女尸的背上。

"好。抓住这女人的头发，无论发生什么事，绝对不能松手！"

直平伸出颤抖的双手，抓住了女人的头发。

"好。现在张开口……"晴明说。

直平便张开了口。晴明从怀里掏出昨晚给博雅看过的那块人形木片，说："来吧！用牙齿紧紧咬住它……"然后将木片放入直平口中。

"准备好了吗？接下来，不管发生什么事，你绝对不能喊出声，抓着头发的手也绝对不能松开。这些事哪怕做错一件，你立即就会被鬼吃掉，一命呜呼啦。"

直平的下巴不停地抖动着，点点头。如果不是口中咬着木片，上下牙便会因为发抖咯咯打战，发出响声来。

"好了，博雅，我们守在这里。"晴明把博雅带到房间的角落里，口中小声念起咒语，"我在这里布置了一个结界，只要不大声嚷嚷，鬼就不会发现我们。"

还没等晴明把话说完，博雅就喊道："快！快看……"

"晴明，那是什么？"

只见直平身下的女子遗体全身开始发出青光。

"哦，快要生成了。"

"怎么回事？"

"鬼要生成了。"

晴明说话时，那女子的尸体缓慢地蠕动起来，接着双手撑在地上，抬起了上半身。蓬乱的头发猛然披落到脸上，用铁青的眼睛盯了周围几眼，接着站了起来。

凝神望去，原来那是一个浑身铁青的鬼。

直平一副随时都会高声悲鸣的模样，死命地骑在女鬼的背上，两手紧紧抓住她的头发。

"啊，好重啊！身子怎么这么重……"

女鬼用极为恐怖的声音念叨着，又长又红的舌头在口中跃动。

"啊呀，总算熬到七七四十九天了。终于可以抓住那可恨的坏蛋直平，生啖他的肉了。总算到时候了！"

女鬼纵身跃出屋子，蹿到了长满莽莽杂草的院子里。

"直平，你在哪里啊？"说完，女鬼疾奔起来。

七

快步如飞，女鬼像疾风一般在黑夜的都城中奔跑。

飕飕的风声，在直平的耳边鸣响。

"他躲在这里吗？"

青鬼首先来到直平的宅邸。然而，直平不在家里。

接着，来到直平新欢的家中。

"在这里吗？"

然而，直平也不在那里。

"啊！我闻到那男人的味道了，那家伙一定就在这附近。"

女鬼这么说着，又沿着都城的大街小巷飞跑起来。然而，还是找不到直平。

"直平，你到哪儿去啦？你这没良心的东西！"

女鬼一面疾奔，一面高声吼叫。直平吓得魂飞魄散。

"对啦！一定是哪个阴阳师把他藏到什么地方了。"

事实正如女鬼所说，她却没想到直平居然就藏在自己背上。

"啊呀，身子怎么这么重呀！"

整整一夜，女鬼一面抱怨着，一面满城飞奔，到处搜寻直平。

终于，东方的天空开始发白。

"好吧，今晚先回去再说吧。明天晚上可一定得找到他……"

女鬼喃喃地说着，背着直平回到自己家中，又倒伏在原来的地方。

八

"行了，松开她的头发，站起来吧。"晴明对直平说，"危险已经过去了。"

尽管晴明这样说了，直平还是一个劲儿颤抖不止，抓着女鬼头发的手怎么也松不开，更无法从女鬼的后背爬下来。

晴明握着直平的手，把他的手指一根一根地扳开，直平才总算可以站起来。

直平泪流满面，鼻涕横流。因为一直咬着人形木片的缘故，口涎从两个嘴角拖挂着流下来。

晴明刚把木片从直平口中取下，直平便颤抖着牙齿说："她、她说，迷、明天还要再去找我。难道……我每天晚上，都得这样做才行吗？"

"不用。"晴明一边说，一边把人形木片放在趴在地上的女鬼面前。

于是，那鬼陡然睁开眼睛。

"原来在这里啊。直平，你这混账！"

随着吼声，女鬼猛扑到人形木片前，把它一口叼住，嘎吱嘎吱地嚼碎，然后又吞咽下去。

吞咽完毕，啪嗒一声，那鬼又倒在地上。

刚一趴下，女鬼的头发便开始脱落下来，肌肤也开始片片腐烂，周围顿时充满了令人难以忍受的腐臭气味。

这时，耳边传来低低的呜咽声。转眼望去，原来是直平在淌着眼泪哭泣。

"你怎么了？"博雅问直平。

"天哪！我这是造了什么孽啊！"直平哀叹道，"今晚，整整一夜骑在这个女人的背上飞跑，我害怕得半死。然而心里却萌生出另外一个念头。"

"另外一个念头？"

"看到这个女人拼命到处搜寻我，我真是不忍心啊。甚至想干脆把嘴里咬着的人形木片丢掉，告诉萩说，我就在这儿……"

直平说完，只见倒在地下的女人开始蠕动嘴唇，用极其细微的声音念诵起什么来。

诸行无常
是生灭法
生灭灭已
寂灭为乐

念诵完这些句子，女人的双唇便停止蠕动了。

已经腐烂、散发出恶臭的女人的双唇，看上去似乎浮起了一缕微笑。

月见草

一

满月刚过了一天，月亮高悬在空中。

月光穿过屋檐，斜斜地投射下来，倾洒在外廊内。

月光下，源博雅和安倍晴明正在倾杯对饮。

两人对面而坐，中间放着盛有酒的瓶子。酒杯空了，两个人也不分彼此，就伸手将自己的酒杯斟满。

庭院中密密地覆盖着一层夏季的花草。每片草叶上都凝结着露珠，每一滴露珠中都包孕着一轮明月，闪亮晶莹。

一只，又一只，萤火虫在黑暗中飞舞。

萤火虫一旦降落在地面上，便难以分辨出究竟是露珠在闪亮，还是萤火虫在闪亮。

晴明身着宽松的白色狩衣。他竖起单膝，后背靠在廊柱上，左手擎着酒杯，不时将杯子递到红润的唇边。

博雅出神地欣赏着月光，喟然长叹，再喝一口酒，还是一副感慨无限的眼神。

"晴明，今晚夜色真舒服啊。"博雅喃喃叹道。

在博雅说话时，晴明有一句没一句地回应一两声，大部分时间都在倾听博雅的自言自语。

晴明的嘴角含着一丝若有若无的微笑，看上去似乎是用呷在口中的酒，来培育着这份微笑。

"晴明啊，你听说前阵子那件事了吗？"

博雅仿佛忽然想起什么，问道。

"哪件事？"

"就是圣上和菅原文时大人的事啊。"

"那是怎么一回事？"

"就是圣上把文时大人召进宫里，命他陪着作诗那件事。"

"你说的是咏莺诗吗？"

"怎么？原来你知道了。"

"宫莺啭晓光。"晴明低语似的轻声念道。

"就是这首诗。"博雅拍了一下膝盖，点着头说道。

事情是这样的。不久之前，村上天皇把菅原文时召进宫去，命他作诗。在历代天皇中，村上天皇尤其钟爱风雅之道，对艺术深感兴趣，喜欢亲自摆弄和琴、琵琶等乐器，据说技艺甚精。有时还作几句诗歌。算得上是位才子。

在那个时期，说起歌，便是指称和歌，而诗，则指的是汉诗。博雅提到的这个话题，正是村上天皇作诗的事。

诗题为"宫莺啭晓光"。他作的诗是这样的：

露浓缓语园花底

月落高歌御柳荫

大致意思是说："清晨，在庭院中露水濡湿的鲜花底下，莺儿在优雅地鸣啭，月亮西倾时，它又在柳树的荫影中放声高歌。"

村上天皇对自己作的这首诗十分满意。于是他命令随侍在旁的侍从："传菅原文时觐见。"

菅原文时是当时首屈一指的文豪，是赫赫有名的菅原道真的孙子。曾任文章博士。村上天皇召见了这个人物，拿出自己刚作好的诗给他看。

"怎么样？"

"很好。"菅原答道。

"你也作一首看看。"

村上天皇命文时以相同的题目另作一首诗。当时，文时作的诗是：

> 西楼月落花间曲
> 中殿灯残竹里声

"凌晨残月西斜时，莺儿在花丛里吟唱，中殿残灯未灭时，莺儿又在庭院前的竹林中鸣唱。"大体上就是这样的意思。

村上天皇看完这首诗，叹道：

"朕以为此题无可再作，然文时所作之诗亦甚可喜也。"

村上天皇说：原来以为自己作的诗，是就这个题目能作出来的最佳之作了，大概不会有人超出自己，没想到文时作的诗句居然也极为优美。

于是，村上天皇对文时说道："我们来品比品比。"

"啊？"

"文时，我们来比较一下，你的诗与我的诗，到底哪个更好？"

对此，文时十分为难。

"圣上所作乃绝佳上品，尤其是对句七字，实比文时高明……"

"未必吧？"

怎么可能有这种事呢？村上天皇对文时所言不以为然。

"那大概是你的恭维话吧。老实说出你的真实意见，否则从此以后，无论你所奏何事，都不得上奏于朕。"

"容臣从实禀告，圣上御制实与文时之作平分秋色。"

文时大为惶恐，稽首于地。

文时说，圣上的诗与自己的诗不分轩轾。

"既然如此，你就在此立下誓言。"

村上天皇进一步逼问文时。

"其实，就目下而言，文时之诗尚比圣上之诗略高一膝。"

文时窘迫之极，只得说自己的诗比圣上的诗稍微高明一些，说完便溜之大吉，匆忙退出了宫殿。

"结果呢，晴明，文时这么一说，反倒是圣上感到过意不去了。"

哎呀，朕不该这么难为文时——

"圣上这样说，还一个劲儿称赞文时心地诚实，敢承认自己的诗更优秀一些。"

"的确是那男人的作为。"

晴明微微一笑，说道。

晴明所说的"那男人"，指的就是村上天皇。博雅似乎想开口指责这一点，正要开口时，晴明说道：

"那么，博雅，昨晚的事你已经知道了？"

"昨晚？什么事？我什么都不知道。"

"博雅啊，你刚才说的事，还另有他人为此大受感动呢。"

"大受感动？"

"你知道大江朝纲大人吧？"

"哦，当然。是八年前还是九年前，在天德元年去世的文章博士大江朝纲大人吧？"

"正是。"

"他怎么了？"

"是这么一回事……"

晴明开始讲述故事的来龙去脉。

二

昨夜——也就是八月十五的夜晚。

几个爱好舞文弄墨的朋友聚在某人的府邸，正在开怀畅饮。

中心话题正是不久前发生在村上天皇与菅原文时之间的逸事。

"不愧是文时大人啊，真是敢于直言……"

"哪怕对方是圣上！毕竟诗文之道与官阶无关啊。"

"哈哈。倘若是你，敢像文时大人那样直言相告吗？"

"那当然了。"

"说不定过后会受到什么牵连，也不管？"

"可不是嘛。要做到文时大人那样，可不是容易的事啊。"

反正文时本人不在席上，众人正好畅所欲言。

"我说啊，真正了不起的其实是圣上。你瞧，圣上不仅没有处罚文时大人，还大大地夸奖了他一番。"

"嗯，圣上大概也觉得文时大人的诗比自己的好，所以才几次三番要文时大人实话实说吧。"

说着说着，话题扯到了迄今有几位文人能与文时相提并论上。

"首先，古时候就有一位高野山的空海和尚……"

不知是谁这样说。

"文时大人的祖父菅原道真大人，难道不也是一位出色人物吗？"

又有人这样说。

"这么说来，同样曾任文章博士的大江朝纲大人不也写得一手好文吗？"

"唔，朝纲大人吗？"

"谢世已经有许多年了吧。"

"大概八九年了吧。"

"他的府邸好像在二条大路与东京极大路的交叉路口一带吧？"

"可是，听说现在没有人住在那里了。"

"那可正是天赐良机。怎么样，咱们现在一起到朝纲大人的府上去，一面痛饮美酒，一面畅谈文章好不好？"

"噢，那倒是有趣之极。今晚恰好是八月十五，中秋月圆之夜啊。"

"既然如此，乘明月之兴，各位吟诵几首喜爱的诗作，岂不很好？"

"对对。"

"好好。"

事情就这样决定了。

大家准备好酒肴，结伴同行，向着朝纲的故宅走去。

三

一行人借着手中的灯火照明，穿过正门。只见庭院一片荒芜景象，整座府邸已然倾圮，处处杂草丛生。

月光将众人身穿的衣裳染成青色，倾洒在这一派荒凉景象上。

连屋顶也杂草丛生，难以想象这里曾经住着文章博士。

"呀，这真是……"

"人只有活在世上时，才算得上一朵鲜花呀。"

"这话不错。不过换个角度来说，眼前这光景不也很有情趣吗？"

众人衣服下摆被杂草上的露水濡湿了，大家边走边看，发现只有灶间的屋顶尚算完好，没有圮毁。

"那么，就在这里坐下吧。"

众人在这灶间的外廊内落座。有人放了块圆垫坐在外廊内，有人站立在庭院中，你一杯我一盏地喝着酒，随兴所至地吟咏着诗句。其中一位咏出这样的诗句：

踏沙被练立清秋
月上长安百尺楼

"踏着河岸的白沙，肩披着柔软的绸缎，站立在清朗的秋意中，明月升上中天，高悬在长安城的高楼上……"

那男人这样解释这首诗的含意。

"怎么样，这是《白氏文集》中的诗句，与今晚气氛十分相配吧？"

白氏，即白乐天。

"这是当年白居易居住在唐都长安时，赏玩中秋明月而作的诗句。"

"原来如此，果然是好诗，令人心中感慨无限。"

众人正在齐声赞叹、争相吟诵这两句诗的时候，忽见东北方出现一个人影，在月光下踏着潮湿的草丛静静走过来。

仔细看去，原来是一位僧尼打扮的女子。

女子来到众人跟前，问道："系谁人来此清游？"

"今宵月色宜人，故来此赏月……"

因为今晚月色分外明亮美丽，所以到这里来一边赏月一边咏诗。其中一人这样回答。

"可知此地系谁人之府邸乎？"女子又问道。

"不是大江朝纲大人的寓所吗？"

"若论赏月吟诗，再没有比这里更合适的场所了。"女子答道。

"话又说回来，尊驾深更半夜只身一人前来这种地方，您倒是何方人氏呢？"

男人们七嘴八舌地回答过女子的问题后，又反过来询问那女子。

"我本是侍候朝纲大人的女侍。昔日众多曾经服侍过大人的人，现都已各奔东西，死的死，走的走，如今留下来的就只有我一个了……"

女子落寞的声音答道。

"虽然只剩我一个人守在这儿，更不知明天将会怎样。然而，我却打算在此度过余生。"

听了这番话，来客中竟有人潸然落泪。

"刚才听到有人吟诵《文集》中的诗句，不知是哪位大人……"女子问。

"是我。"吟诵白乐天诗句的汉子答道。

"刚才您将对句解作'明月升上中天，高悬在长安城的高楼上'，不过，从前朝纲大人并非如此解读。"女子说。

"是吗？"

"那又如何解读？"

众人兴趣盎然，纷纷凑上前来。

"如果我没有记错的话，那句诗应该这样解……"说罢，在众人面前，女子清澈的声音吟诵道，"明月诱人登上长安百尺楼……"

"啊呀，果然有理。细细读来，确实是这个意思呀。"

"并不是月亮升上了百尺高楼，而是诗人乘着月光登上了百尺高楼。仔细想来，的确这样解读更有道理啊。"

男子们无不钦佩，七嘴八舌地赞叹起来。

"我有一事相求各位大人——"女子用严肃的口吻对大家说道，"我曾蒙朝纲大人惠赐这样一首和歌……"

"哦，是什么样的和歌？"

众男子深感兴趣地注视着女子。

　　　阴影弥堪惜
　　　月华犹可怜
　　　此宫缱绻处
　　　踏沙且流连

"啊……"

"从未听到过嘛。原来朝纲大人还作过这样一首和歌啊。"

众人纷纷议论。

"我想恳请诸位大人鼎力相助，帮我解开这首和歌的谜。"女子说。

解谜——意思就是解释和歌包含的隐意。

"唉，不懂啊。"

"究竟有什么含意呢？"

众人苦思冥想，女子以悲哀的眼神仰望着月亮。

"烦请诸位大人记牢这首和歌，如果有哪位明了其隐意，务请烦劳大驾光临此地告诉我一声。"

静静地说完之后，女子在月光中深深低头致意。

然后，仿佛溶进月光中一般，女子无声无息地消失了。

四

"喏，事情经过据说就是这样了……"晴明说。

"可是，晴明，你又是怎么知道这件事的呢？"博雅问道。

"女子消失之后，众人忽然恐惧起来……"晴明微笑着说道。

"呀，这女子肯定不是此世之人……"

"我们既然听她念诵了这首古怪的和歌，如果对其中的谜语置之不理，是不是会发生什么不妙的事情？"

大家忧心忡忡，于是想到了晴明。

"今天早上，有人上门来找我商量。"

"原来如此……"博雅点点头，"结果怎么样？和歌的谜底你解出来没有？"

"没有，还没有解开。不过，我打算去见见那位女子。"

"去见她？"

"夜里去的话，大概可以见到她吧。怎么样，今晚就可以去吧？"

"今晚？"

"嗯。"

"你的意思是，我也一起去？"

"要是你害怕，那我明晚一个人去也可以。"

"害怕倒是没有。"

"那么，一起去喽？"

"唔……"

"去吗？"

"嗯……"

"到底去不去？"

"去。"

"走。"

于是，事情就这么决定了。

五

两人来到朝纲旧居时，已经是深夜。

晴明和博雅一起穿过大门朝里走去，庭院里果然是一派荒芜景象。

"那位女子在不在这里呢？"博雅说。

"大概在吧。"

晴明踏着杂草，向前走去。

"你要到哪儿去？"

"自然是东北方向喽。那里应该能发现什么东西吧。"

博雅跟在晴明的后面。走到旧居后院的时候，晴明停下脚步。

似乎有一个小小的坟墓，埋没在草丛中。

"喂，把《文集》中的那首白诗读来试试。"

听见晴明这么说，博雅便朗声咏道：

踏沙被练立清秋……

诗句尚未全部咏完，草丛中便出现了一个人影。举目望去，正是众人所说的那位僧尼打扮的女子。

"昨夜来了客人，今夜又有人来，请问是哪位大人？"女子细细的声音问道。

"我们是来破解你昨晚所念诵的和歌的谜语。"

听晴明说罢，女子的脸仿佛被阳光照耀一般，顿时变得明朗起来。

"您破解那首和歌的隐意了吗？"

"不，还没有破解。但应该总会有办法可以解开吧。为了解谜，有一些事情，还得请你稍微详细地说明一下。"

"什么事情？"

"听说这首和歌是朝纲大人赠送给你的？"

"正是。"

"究竟是在何种情形之下，你得到了这首和歌呢？"

"是。"女子深深颔首行礼，答道，"那就坦白告诉您吧。我本是服侍朝纲大人的侍女，但实际上，与朝纲大人还有男女之间的关系。还蒙朝纲大人亲手点拨过汉诗与和歌。"

"然后呢？"

"大约在大人去世前一年吧，朝纲大人把我唤去，当时就送给我这首和歌。"

女子说，朝纲大人告诉她："你悉心照料我很多年，我的生命已不会长久了。万一我有个三长两短，会留下足够的东西给你，你就用来度过余生吧……"

朝纲又说："还记得吗，我教你读过《文集》里的那首诗？这首和歌跟那首诗有关。万一我出了意外，你就把这个打开吧……"

说完，朝纲把一纸和歌递到女子手中。

"朝纲大人去世之后，我打开一看，上面写的就是这首和歌……"

女子悲哀地低垂双目。

> 阴影弥堪惜
> 月华犹可怜
> 此宫缱绻处
> 踏沙且流连

晴明低声吟诵着这首和歌。

"怎么样，博雅，你弄明白了吗？"晴明问。

"不明白。但这里的'阴影'这个词，既可以指心中的阴影，又可以指月亮的豁阙，正好一语双关。我也就能明白这些啦。"

"只要明白这一点，就该有办法猜出整首和歌的隐意吧。"

"你说有办法，那么，晴明，你真的弄清楚了吗？"

晴明转向那女子问道：

"白乐天诗中的月亮，是八月十五的满月吧？如果这时的月亮豁去一部分的话，会变成什么样呢？"

"月牙儿？"女子低声应道。

"不。满月过后的月缺，应该是半月，朝纲大人的意思莫非是让你珍惜半月、怜爱半月？"

"可是，那又怎么样呢？晴明，我实在是摸不着头脑啊。"博雅道。

"另一句中的'此宫'，其实指的就是这座府邸，而诗句中的'沙'，便是河滩上的沙子喽。博雅，如果白乐天诗中所说的地点是长安，那么这里指的就该是曲江的沙滩了。"

"唔……"

"请问，朝纲大人常常流连的地方，有没有与水有关联的？"

晴明问那女子。

"我想起来了……"女子点点头道，"朝纲大人引水造了一个池塘，曾经好几次说过，如果将此地比作长安的话，这池塘便是曲江了。"

"那么，请带我们去那里看看吧。"

女子快步行走在草丛中，不久，停下脚步：

"这里就是了。现在池水已经干涸，但从前这里有个池塘……"

"观赏池塘时，朝纲大人经常踏足的地方在何处？"

"就是那里。正好是您现在站立的地方。"

"那么，就在这里挖挖看吧。"

晴明从废屋中拿来一块木板，在自己刚才站立的地方开始挖掘起来。

挖到一尺深左右时，木板似乎碰到了什么东西。

"瞧啊……"

晴明用手指将那东西捏了出来。

"终于现身啦。这就是半月。"

晴明将手中的东西举到月光之下，原来是一把呈半月形的象牙梳子。

"啊！"女子发出一声惊呼。

"事情到此还没有结束。因为和歌中明明说了，要怜爱月亮、珍惜月亮嘛。喂，博雅啊，能不能换你来挖一下？"

博雅接过晴明手中的木板，继续挖起来。不久，木板又触到什么坚硬的东西。

"有东西！"

从又深了约莫一尺的地方，博雅挖出一个单手就足以放得下的小罐儿。罐儿上有木盖，用绳子捆着。

把罐儿放在草地上，解开绳子。

"来，我要打开了……"

博雅揭开盖子，只见有什么东西沐浴着月华，在闪闪发光。

"这不是黄金吗？"博雅说。

原来是沙金。罐儿虽然小，里面装的却是金子。

"就是它了。朝纲大人留给你的东西，就是这个！"晴明说道。

"太感谢了。"女子垂首说道，"朝纲大人去世之后，我心里始终牵挂着这件事，因而始终不忍离开这座府邸。死后也因为挂念此事无法瞑目。现在，我终于可以安心了。"

女子看着晴明说道：

"麻烦您就用这些金子，请哪家寺院的僧侣为朝纲大人和我念诵一段《观音经》吧。余下来的，请您随意处理就是了……"

说着说着，女子的身影仿佛溶入月光中一般，渐渐地淡去，不久消失了。

"居然会有这种事情，晴明……"

博雅手里依然拿着木板，充满感慨地说。

"这下总算大功告成了。怎么样，博雅，咱们还继续下去吗？"

"继续什么？"

"回家继续喝个痛快啊，一直喝到月亮看不见影子为止。"

"好，就这么办吧。"

"嗯。"

"嗯。"

草丛仿佛被蕴含着夜露的点点月光濡湿了一般。晴明和博雅踏着杂草，朝着朝纲府邸外走去。

到大门口，咣当一声，博雅将手中拿着的木板抛到了地上。

两人踏着月色，悠然地举步向前走去。

汉神道士

一

櫻花飘飘洒洒地凋落着。

黑暗中，花瓣无声无息地片片飞舞，飘落下来。

没有风。花瓣因承受不住自身的重量而离开花枝，飘落到地面。

满树盛开的樱花。

任凭花瓣不停凋落，然而仰面望去，满树的樱花依旧不减丰姿，千朵万朵压低了枝头。

虬蟠的花枝上空，高悬着一轮皎洁的明月。

"晴明，真是不可思议啊……"开口说话的，是源博雅。

"什么不可思议？"晴明低声问道。

"就是樱花呀。"

博雅用陶然欲醉的声音说着，举目仰视樱花。

这是在晴明宅邸的庭院里。庭院里有一棵高大的古樱。

尚未生长齐全的春草，星星点点地在地面上探出头来。晴明和博雅在那棵古樱树下铺了块毛毡，坐在草地上。

那是一块深蓝底色、印有美丽的大唐风格图案的花毡。它来自遥远的国度——大唐。

两人之间，靠近古樱树干处立着一具灯台，台上点着一盏灯火。

一只装着酒的瓶子，放在两人中间。

有两只酒杯。一只握在晴明的右手中，一只拿在博雅的左手中。此外没有其他东西。

唯有樱花花瓣不断飘落，积了厚厚的一层。蓝色的花毡上、博雅的身上、晴明的白色狩衣上，都落有缤纷飘落的花瓣。博雅手中的酒杯里，也浮着两片花瓣。

就这样无声无息地，樱花花瓣静静地飞舞着，从两人的上方飘然落下。仿佛积雪似的，两人身上和周围不断有白色的樱花层堆起来。

"樱花？"晴明问。

"从许久之前，这棵樱树的花瓣便已开始飘谢了，然而，这枝头上的樱花却丝毫不见减少……"

"嗯。"晴明的回答不冷不热。

"简直就像你似的。"

"像我？"

"是啊……"博雅将拿在左手的酒杯送到嘴边，连同花瓣一起一饮而尽，"我是说，人的才能——安倍晴明其人的才能，也像这樱花一样嘛。"

"什么意思？"

"即使什么都不做，你的才能也会自然而然地漫溢出来。"

"……"

"而且，无论漫溢出多少，你的才能却一点也不见减少。"

"呵呵。"

"就好像你的体内有一棵高大的樱树，枝繁叶茂，一边是无穷无尽的花朵怒放，一边是片片花瓣纷纷飘谢。"

晴明体内有一棵花朵永远怒放而又不停凋谢，永远保持盛开的樱树。仿佛才能的花瓣越是不断飘谢，体内的花瓣就越开越多。博雅用简短的比喻表述了这层意思。

"博雅，世上没有永不凋谢的花。"晴明把酒杯送到红红的唇边，静静地呷了一口，"花之所以为花，正因为它终会凋谢。"

"可是，在你的花枝上，我可看不出花瓣会全部凋谢啊……"博雅大发感慨。

晴明的嘴角浮现出一丝尽量不至于让博雅困惑的微笑。他仿佛是在享受夜晚的寒气缓缓渗入狩衣的乐趣。

"博雅，今晚你来，是不是有什么事情？"

"对了，晴明，其实这件事……"博雅放下酒杯，说道，"藤原为辅大人，你知道吧。"

"嗯，他去年当上参议了吧。"

"正是。"

藤原为辅是前右大臣定方之孙，左兵卫督朝赖之子。历任藏人、朱雀院判官代、尾张守、山城守、右大弁等，于天延三年升任参议。其年龄与晴明和博雅相差不多。

"就是这位为辅大人，据说每天晚上都有人前来拜访他。"

博雅打开了话匣子。

二

深夜——

为辅在卧室刚刚入睡，耳边忽然响起一个声音。

"喂……"

是一个男人的声音。

"喂，为辅大人！请醒醒吧。"

为辅睁开眼睛一看，发现枕边黑暗中站着一个老人，身着褴褛不堪的白色便袍。白发，白髯，满面皱纹，脸上仿佛被强摁了一束稻草似的。一头白发犹如被狂风吹乱的茅草一般，乱蓬蓬地又开去。

"醒了就赶快起床吧！"

为辅还来不及询问对方是谁，右手就被紧紧抓住，上身已经被拉了起来。

"来来，快点站好！"

不可思议的是，为辅毫无抵抗能力。

他按照老人的要求站起身来，老人牵着他的手迈步走了出去。

"好，咱们去吧！"

他觉得这老人似曾相识，却又觉得这张脸是头一次见到。

老人是独眼，左眼已经瞎了。

走到外廊内，赤裸着双脚就径直下了庭院。

走出大门，又继续向前走。心里好像明白是在朝着西边走，却弄不清楚到底要去什么地方。

起初，赤裸的双脚踩在泥地上感到一阵冰凉，然而走着走着，便渐渐什么都感觉不到了。两脚仿佛踩着云朵，飘飘忽忽地不听使唤。

也不知究竟走了多远，前方忽然出现了一个红光四射的东西。

"唉，总算快到啦！"老人说。

不知为什么，为辅忽然开始害怕。他很想从老人的左手中挣脱右手，"哇"地大喊一声逃之夭夭，却丝毫没有力气。为辅感觉到那抓住自己的力量又轻又弱，然而一旦企图挣脱，那力量便会自然地变得极为强劲。

"你可没在琢磨什么鬼主意吧……"

老人阴阴地一笑，口中露出蓝色的舌头，从当中裂成两瓣。

为辅越发感到恐怖，然而自己的内心似乎暴露得一清二楚，万一逃亡失败，天知道自己会受到何等对待。于是，他只能老老实实地任由老人牵着手。

红光四射的东西渐渐逼近眼前。

"来啊，这里就是啦！"

走到近前一看，原来是两根烧得通红、足有一抱粗的铁柱，牢牢立在地面上。

"为辅，上去抱紧它！"老人说。

"抱紧这个？"

为辅声音颤抖。这两根铁柱烧得通红，仿佛马上就要熔化一般。假如真要抱住它，怕是皮肤会烧焦，连肌肉也会吱吱响着被烧成焦炭吧？

回过神来再看自己，竟然是赤身裸体、不缠一丝。究竟是从一开始就没穿衣服呢，还是途中被剥掉了？为辅拼命回忆，脑海中却没有丝毫记忆。

"上去！抱住它！"老人声音中增添了一份恐怖。

虽然老人厉声发令，然而那铁柱子烧得通红，根本无法靠近。正呆立在原地，背后有人猛地用力推搡了他一把。为辅身不由己向前摔去，跨出一步，结果刚好从正面抱住了那根烧得通红的铁柱子。

好烫啊！为辅连喊带叫，直想朝后跳开，然而身体却紧紧贴在柱子上，离不开。

腹部、胸部、两腿的内侧、环抱着铁柱的双臂、贴在柱子上的右脸颊，哪个部分都逃不开，全身都被烧烤着。为辅发出撕心裂肺的惨叫。

为什么自己要受如此严酷的刑罚啊？他不禁涕泗滂沱，一边哭泣，一边抱在铁柱上。可以听到自己的血肉仿佛已被煮沸，发出咕嘟咕嘟的响声。

老人终于把他拉下来的时候，与铁柱接触的皮肤已然整块脱落。

"今晚姑且到此为止吧。明天再去找你。"老人说。

明天？

"明天晚上，是那边另一根铁柱子。"

于是，老人再度牵起为辅的手，让他回到家中。

三

"听说这样的怪事一连持续了三个晚上。"博雅说。

"三个晚上？"

"起初为辅大人也以为是做奇怪的噩梦呢。"

早晨，为辅大人梦魇似的乱说起梦话来，家人把他喊醒了。

"热呀……烫呀……"

为辅在床上不停地呼喊呻吟。

醒来后，脸颊和腹部的确觉得发烫，还火辣辣地痛，但是皮肤并没有烧焦的样子。他以为一定是一场噩梦。

"可是第二天晚上，又做了同样的梦……"

深夜——

他正在熟睡。

"喂！为辅大人……"

又听到一个声音喊他。醒来一看，昨晚的老人又站在枕边。

"好啦，走吧！"

老人牵着为辅的手，又带他来到烧红的铁柱子前，这次命令他抱住第二根柱子。第二天早晨，为辅又是在梦魇时被家人唤醒过来。

老人在第三个晚上再次出现，这次又让为辅抱住最初那根柱子。

为辅终于忍受不住，来到博雅的住所，说自己不明白为什么每晚都做同样的噩梦。

"能不能麻烦您去请教一下晴明大人？"

他这么与博雅商量。这是今天黄昏时分的事。

"总之，好像就是这么回事，晴明。"博雅说道。

"嗯……"晴明抱着胳膊思索，"既然如此，明天过了晌午就去拜访一下为辅大人吧。"

"你真的肯去一趟吗？"

"嗯。"

"那就去吧！"

"去吧！"

事情就这么定了。

四

身边的人都已屏退，藤原为辅独自与晴明及博雅相对而坐。

"事情就是这样，晴明大人……"

为辅将昨晚博雅所说的故事又重述一遍。

"那么，昨天夜里情况怎么样？"晴明问。

"晴明大人，老实说，昨晚又发生了同样的事情。"

算上昨晚的话，也就是一连四夜，连续发生了同样的事情。

"会不会是有谁，用魇魅或者蛊毒之类的手法对我施咒……"

为辅一边说话，一边用湿毛巾敷在脸上。仔细看去，发现脸上又红又肿。

"那又是怎么回事？"晴明问。

"啊呀，与其口头解释，不如请你们看看这个吧。"为辅站起身来，"我可要失礼啦。"

他解开衣服的前襟，将身体前面的肌肤暴露在晴明和博雅眼前。

"啊！"

"啊！"

博雅和晴明不约而同地低声发出惊呼。

为辅的前胸和腹部，皮肤已经烧焦，布满了水泡，有些已经糜烂，流出血水和脓水。

"其实我是硬撑着与两位见面，现在是十分痛苦。今天两位光临，我才勉强打起精神来。"

为辅合上前襟，回到原处坐下。

"晴明大人，实际上并没有烧伤，我的身体上也会出现这样的变化吗？"

"会。咒，真的拥有这样的力量……"晴明颔首答道。

"接好！博雅……"

晴明抛给博雅一个红色的小东西。博雅莫名其妙，但还是伸手想接住。

"那是一块烧红的石头。"晴明马上说。

"好烫啊！"

在双手接住石头的一瞬间，博雅大叫一声，双手将石头抛了出去。

石头在地板上滚动了几下，停在为辅的膝前。仔细看去，哪里是什么烧红的石头，原来仅仅是一块略呈红色的小石子。

"怎么样，博雅，刚才感到石头烫手了吧？"

"嗯，是烫手。"博雅点点头。

"这也是一种咒。"晴明说。

"原来是这样。只要事先让你相信是烫的，那么即使并不烫的东西，你也会感觉到烫。"

"对。"

"就是说，关键是人心的问题喽？"

"完全正确。"晴明再次点头答道。

博雅在一旁略带不满般地噘起了嘴唇。

五

夜，越来越深。

博雅依然噘着嘴，向晴明抱怨：

"喂，晴明，想来想去，刚才你那种做法还是不够意思嘛。"

声音低得像自言自语，然而博雅内心的不满分明表现在话音中。

"为了那块石子，害得我在为辅大人面前丢了好大的脸吧？"

"抱歉，博雅。"晴明说。

"你可以向我道歉，可是不要嬉皮笑脸地道歉好不好？"

"我笑了吗？"

"当然。"

确实如同博雅所说，晴明的唇边看上去挂着若有若无的浅浅笑意。

"没那么回事啊。"

"有。"博雅又噘起嘴来。

这是在藤原为辅府邸的大门外。大门附近长着一株高大的松树，晴明和博雅正躲藏在树后。

"别说了，博雅！"

晴明捂住博雅的嘴巴。博雅正想说什么，晴明又"嘘"了一声制止他。

"来了。"

晴明微动嘴唇示意。然而，博雅的眼里没有任何东西，唯有高挂中天的月亮，将松树浓浓的阴影投射在地上。

不久，吱呀——

门轴发出了响声，大门打开了。博雅依然被晴明捂着嘴巴，只能瞪大双眼。

晴明将手挪开，博雅立刻说："喂！晴明，我可没看到什么东西走过去嘛。刚才那扇门却真的开了！"

"刚刚从这儿走过去了。"

"是什么？"

"就是胁迫为辅大人的家伙啊。"

"真的?!"

"刚才,我已经在这里布下结界,等它出来后,我们就在后面跟踪。"

"跟踪?"

"那样一来,我们就得走出这结界了。"

"哦。"

"博雅,你把这个藏在怀里。"

晴明从怀中取出一样东西。拿在手上一看,是一块比手掌略大些的木符。借着月光,可以看见上面写有文字。

"这上面写着什么?我根本看不懂。"

"它能让百鬼夜行时看不见你……"

"哦,是吗。"

"知道吗,博雅?跟踪对方的时候不要发出任何声响。有话对我说时,只能用呼吸示意。"

"知、知道了。"

就在博雅点头时,晴明说:"来啦。"

不一会儿,从门里走出两个人。一个身穿褴褛的公卿便袍似的白衣,白发白髯,是个老人。而另一个正是藤原为辅,手被老人牵在手中。

为辅全身赤裸。身体的正面与白天看到时相比,糜烂得更为厉害,肌肉被烫得白乎乎的。

为辅挺着松弛前突、烧得糜烂的肚子,被老人牵着手带走了。

"好,跟上去!"晴明跨步向前走去。

"嗯。"博雅跟在晴明身后。

六

老人和为辅向西走去。

两人已经走到城外,看上去似乎是在悠闲自在地走,可是实际速度却远远快于普通人。

博雅几乎是在小跑。

刚才桥下的那条河，便是天神川。周围已经看不见人家。

沿着荒野小道，不时忽而向右，忽而往左，然而始终是向西走去。走着走着，前方隐约出现红光。再走近一看，果然如同为辅所说，是两根烧得通红的铁柱子。

老人松开为辅的手，说："上去！再抱住这根柱子！"

为辅哭丧着脸望着老人。

"再磨磨蹭蹭的话，就叫你永生永世，每天夜里都到这里来！"老人说。

为辅极不情愿，拼命左右摇头。

"去吧！"

老人猛然在他后背上狠推一把。为辅一脚蹬空，倒在柱子上，仿佛害怕倒下似的，紧紧地贴在柱子上。

"烫啊！"

"烫啊！"

为辅凄厉地号叫着，与此同时，身上开始冒烟。

没有多久，只听为辅"啊"的一声悲鸣，身体开始燃烧起来。

火焰熊熊，越烧越旺。浑身裹满火焰的为辅，缓缓浮上了半空。

定睛看去，原来那并不是为辅，而是剪成人形的一张纸。那纸燃烧着化成碎片，在空中缓缓散开。

"好小子！"老人咬牙切齿地怒吼着，"居然敢暗算我?！"

老人瞪眼怒视周围，又喊道："为辅那小子哪有这样的本事！一定是哪个和尚干的好事，要不就是阴阳师出面……"

"你已经明白了？"晴明悠然回应。老人回过头来。

"你也真是造孽呀。"晴明向着老人走去。

"喂，晴明……"

博雅小声说着，握住腰上的长刀，与晴明并肩站立，准备保护他。

"行啦，现在说出声来也不要紧了，博雅。"

"哦。"博雅仿佛放下心来似的，长吁一口气。

这时——

老人用一只眼盯着两人。"是你们两个臭小子跟我捣蛋吗？"

说话时，露出舌尖分成两半的蓝黑色舌头。

"下次要不要去你们两个臭小子的家，让你们也来抱抱这柱子？"

听了这话，博雅脊梁骨一阵发凉，缩了缩肩膀。

"不、不管什么时候，尽管来好啦！"博雅说。

"不行，博雅！"晴明喊道。

"口气不小啊……"老人奸笑起来，"你回应了我的话，那你运气可不怎么样。明天晚上，就可以去你那儿登门拜访啦。"

只见他那分成两瓣的舌头飘飘忽忽地摇来摆去，忽然消失了。

博雅回过神来，发现这里是春天的原野，一棵高大的樱树在两人头顶上舒展枝条，开满樱花。片片花瓣沐着月光，悠悠飘落下来。博雅和晴明就站在树下。既没有老人的身姿，也没有烧红的铁柱。

"我、说了什么不合适的话吗？"博雅问。

"说了。"

"是吗？"

"这一来，那家伙就要到你家去找你的麻烦啦。"

"真的吗？"

"博雅，因为你授人以柄了。"

"授人以柄？"

"你中咒啦。事已至此，得赶时间了。今夜就得把事情了结……"

"要怎么办？"

"回去。"

"回去？"

"回藤原为辅大人家。"

七

"这么说，五天之前，你到天神川对岸去过，是不是？"晴明问。

"是。"藤原为辅点头承认。

一间昏暗的屋子里，只点着一盏灯火。其他人都已经退下，只剩安倍晴明、源博雅与藤原为辅三人。

遮雨窗板已经放下，洒满庭院的月光也照不到房间里。屋内只有一盏小小的灯火亮着。

"听说渡过天神川，朝着嵯峨野方向走不多久，那里的樱花开得十分漂亮，所以就去赏花了。"

三辅牛车。几个随从。

预备了一些好酒和填肚子的东西，大家出门时已是晌午。

众人在一棵樱树下铺上席子和毛毡，让乐师们弹琴吹笛，大家饮酒助兴。不久，天气渐渐冷了起来。

那一天阴云密布，时有浮云蔽日。下午又开始起风，气温下降，令人顿生寒意。虽然准备了可供烧水用的木柴，用来取暖却不够。

正巧，这时来了一位卖柴人。他把上衣扎在腰里，头戴一顶草帽，说是在嵯峨野的山上砍的柴，正打算进城去卖。

"这还不全部买下来吗？"

于是，大家将男人的木柴全部买了下来。

之后，众人在樱树下一边烧柴取暖，一边饮着美酒。

这时，来了一位奇怪的老人。老人穿着一件看似公卿便袍的白衣，但袍子褴褛不堪，到处都是破洞。

"请大人赏一杯酒喝喝吧。"老人说。

抬眼看去，只见老人的脸颊痉挛般地哆嗦着，喉咙像是在吞咽酒浆似的上下蠕动。

酒是带来了，却不是很多。

"拜托了，给一杯就可以了……"

连那说话的声音都在痉挛似的颤抖着。老人衣着肮脏，脸部及所有暴露在外的皮肤都布满污垢，身上还散发出难闻的气味。

"酒不能给。"为辅拒绝了他的要求。

"喏，别这样说嘛，只要一杯……"

老人死乞白赖，遭到拒绝也毫无离去的意思。

一个正在拨火的侍从，从燃烧着的篝火中捡出一块通红的炭块，向着老人抛过去。炭火飞落老人怀中。

"啊，好烫！"老头喊叫着在地上打滚，好不容易才将炽炭抖出衣外，随即离去了。

众人又喝了一阵酒。不知什么时候，一条蛇出现在毛毡上面，大约是因为篝火旺恢复了元气，从洞穴中钻了出来。

蛇爬近放在毛毡上的酒杯，刺溜刺溜地将信子向杯中酒伸过去。为辅吓了一跳，随手抓起正巧烧得通红的火钳朝蛇的头部戳去。火钳的尖头刺入了蛇的左眼。

"哇！"为辅大吼一声，将火钳和蛇一起抛了出去。蛇和火钳掉落在附近的灌木丛中。

老人也罢，蛇也罢，两件事都让人十分扫兴。尽管樱花依然缤纷绚丽，可为辅还是早早地打道回府了。

"仔细回想，就是在发生这件事的当天晚上，那个老人来到我枕边的啊。"为辅说道。

"来讨酒喝的老人和来到枕边的老人，是同一个人吧？"

"一点不错，晴明大人！可是为什么我到现在才察觉到这一点？"

"大概是对方施了咒，不让你察觉到吧。"

"那么，为什么现在又察觉到了？"

“那是因为对方暂时将矛头转向了别人。”

“别人？”

“就是这位源博雅啊。”

“你说什么？”

为辅看了看博雅。

“这个嘛，我也莫名其妙，总之，事情已经到了这个地步啦。”博雅说道。

“要不要紧？”为辅问。

“为了这事，还要请大人帮忙。”晴明说。

“什么事？”

“能不能给我们两瓶酒？”

“酒？为什么？”

“我要与博雅一起喝酒。”晴明说。

八

樱花在纷纷扬扬地飘落。两人优哉游哉地喝着酒。

樱花树下，铺着毛毡，点着一盏灯火。博雅和晴明正在月光下饮酒。

樱花飘飘洒洒地飞落。微风徐徐吹来。樱花已经过了盛期，只要风起处，便有无数的花瓣离枝而去。两人宛如置身于飞雪中。

“这样就可以了吗，晴明？”博雅问。

“可以。”晴明答。

“光喝酒就行？”

“行。”

“什么都不做？”

“不是在喝酒吗？”

晴明往博雅的空杯中斟上酒。博雅接过这杯酒，送入口中。

"博雅，有没有带笛子？"

"叶二，我总是随身带着的。"

叶二，是博雅从朱雀门鬼那里得来的笛子。

"能不能吹一曲听听？"

"好。"

博雅放下酒杯，从怀里取出叶二，放在唇边，开始吹起来。

笛子里滑出流畅的笛声。那仿佛是一条身披蓝色鳞片的龙，穿过纷纷凋谢的花瓣，向着空中升腾而去。笛声裹挟着月光，朝着四方流去，溶入夜色之中。

吹着吹着，博雅陶醉在自己的笛声中，闭上了眼睛。

"来啦……"晴明低声说。

博雅睁开双眼，不知何时，灯火对面的月光中站着那位白发老人。

"继续吹下去。"晴明说。

老人倾听着笛声，眯着眼睛注视着两人。

"就是刚才那两个小子嘛……"老人喃喃自语，朝着晴明走了几步，问，"你们来干什么？"

"来喝酒。"晴明回答。

"喝酒？"

"要不要一起喝？"

晴明刚说完，老人的喉咙咕咚响了一声，伸出舌尖分成两半的舌头，舔了舔自己的嘴唇。

"怎么样？"

晴明再次催促，老人又走近几步，坐在毛毡上。

樱花依旧纷纷扬扬地四下飘落。

博雅的笛声在与花瓣游玩嬉戏，与月光亲昵地纠缠在一起。

"来吧……"晴明在自己的酒杯中斟满酒，递给老人。

"真的可以喝吗？"

"是请你喝的。"晴明说。

"唔，嗯。"说着，老人的舌头哧溜一下又伸了出来，他用颤抖的双手接过酒杯，凑到鼻子前嗅了嗅酒味，"啊，香如甘露呀……"

老人闭上眼，将酒杯举至唇边倾入口中，接着心醉神迷般一饮而尽。

"极乐世界啊……"老人嘀咕着放下酒杯，"呼"地长长舒了口气，随后睁开眼睛，看了晴明一眼，"那么，我该从哪儿说起呢？"

老人低沉的声音开始讲述起来，声音已经不再颤抖。

"从哪儿都行。"晴明淡定地答道。

"就算是对这酒的谢礼，我把事实都告诉你吧。"

老人闭上眼睛，在纷纷飘落的花瓣中开始述说起来。

"我本姓史……"

"那么，你的祖先是大唐人喽？"

"对啊。"老人低声说道，"我本是汉氏的族人。"

在古代倭国的移民中，一向被称为双璧的，便是秦氏和汉氏。秦氏多擅技术，汉氏则多为文士，凭文笔出仕朝廷。五世纪时，朝廷另赐史姓，设立史部，史姓一族遂得到繁衍发展。

"我们史氏家族也曾经如这樱树一般繁花似锦，然而现在却势衰人减，还混入了不纯的血脉。当今之世已经成了藤原氏的天下，史家往日的荣华早已成了明日黄花。"

老人睁开了闭着的右眼。

"我年轻时便好酒使性，后来因为酒醉与人争吵，闯下杀人大祸。当时我还不满三十岁，只好四处流浪，依样画葫芦学着做道士，一做就是四十五年。终于，一百二十年前丧生在这棵樱树下……"

老人低声说着，闭上了眼。

"临死之前，我好想喝酒啊，哪怕只喝一杯也行。然而却没有酒。就是这个欲念让我不得瞑目啊。"

老人微微仰起脸，又一次闭上了眼睛。樱花纷纷飘落在他的眼睑上白发上。

"五天前的晚上，时隔一百二十年，终于又嗅到了酒的芳香。实在忍无可忍，哪怕就乞讨那么一小口也好啊……"

"于是你就出来了，是吗？"

"正是。"

"可是你不仅没有喝到酒，还被火钳戳中左眼……"

"对。"

"那被刺中眼睛的蛇呢？"

"就在樱树根附近的草丛中有我的骷髅。约莫六十年前，那条蛇开始栖息在我的骷髅中，我的欲念便寄身于蛇，我们是一体同心……"

说着，老人的唇间伸出长长的、舌尖裂为两半的舌头，舔了舔放在膝前的杯底。

"在这样的樱花下喝到如此美酒，听到如此美妙的笛声……"

老人的语音哽咽了。

从老人的眼睛中，热泪一行一行地流出来。

"前世修来的福气啊……"

低声留下这句话后，老人的身影倏地消失了。

九

晴明和博雅举着灯火，找到老人所说的那片草丛，果然看见一具骷髅倒在那里。一条单眼受伤的赤练蛇死在里面。

骷髅的旁边，一副火钳直直地插在地上。

晴明打开第二瓶酒，将酒倾洒在骷髅上，于是，那骷髅似乎淡淡地泛起了一层红色。

牵手的人

一

从晌午起，两人便一直在喝酒。

那是在安倍晴明宅邸的外廊内。两人就这么席地而坐，源博雅右手擎着斟满酒的琉璃杯，面对着晴明。

晴明纤细的右手手指中也擎着一只琉璃杯。那是异国的酒杯，来自胡国。

十来天前出梅，季节已经进入夏天。时值文月，即阴历七月月初。

强烈的阳光照射着庭院。

热。

即便端坐不动，博雅的脊背上也渗出了汗水。

庭院中茂盛的夏季花草已经高及人腰。桔梗、女郎花已经开放，但远不及杂草势头强大。庭院的景象仿佛是将山野中郁郁葱葱的一部分，原封不动地搬移到了这里。

每当风掠过花草，便会送来灼热的青草气息。

太阳总算开始从中天西倾，但距离落山还有很长时间。

晴明随意地套着件白色狩衣，背靠廊柱，竖起右膝，拿着酒杯的右肘支在右膝上。

额头上也罢，脖颈上也罢，都不见一滴汗水。晴明纤细的手指拿着琉璃杯，那透明的绿色充满凉意。

两人之间的地板上，放着一个瓶子。还有一只盘子，盛着撒上盐的烤香鱼。两人正以香鱼下酒。

"晴明，你不热吗？"博雅问道。

"当然。"晴明将杯子从红润的唇边挪开，说道，"这还用得着问吗？"

"可是，一点都看不出你感觉热的样子。"

"看得出也罢看不出也罢，热总归是热的。"

晴明一脸若无其事的表情。

"你能够保持这副样子，就让我羡慕啊。"

博雅说罢，挟起香鱼送进口中。

"好香鱼啊！"

博雅一边嚼着松软得从骨头上整片脱落的鱼肉，一边说道。

"这是鸭川里的香鱼。"

"哦。"

"是养鱼鹰的渔夫贺茂忠辅刚刚送来的。"

"哦，就是发生'黑川主'事件时那个贺茂忠辅？"

"就是那个千手忠辅。"

"可是，忠辅为什么没事送香鱼来？"

"那次事件过后，他一到时节，总会送些香鱼过来。但这次还有别的事情。"

"别的事情？"

"总之，是非我不能处理的事情喽。"

"难道忠辅那边又遇到怪事了？"

"啊，怪事倒是有，但不是忠辅出事。"

"那又是谁出事了？"

"是忠辅的熟人，篾匠猿重。"

"篾匠？"

"他进山砍竹子或者藤条，再编成篮子、簸箕之类，拿到市上去卖。本来名字叫重辅，因为身体轻盈、擅长爬树，常爬到大树上去割藤条，所以一来二往大家都叫他猿重了。他本人也喜欢这个名字，也以此自称。这些话都是忠辅告诉我的。"

"那么，怪事又是怎样的呢？"

"听忠辅说，事情是这样的……"

晴明开始讲述起来。

二

猿重家住在鸭川河畔，距法成寺很近，就在河水难以漫过来的土堤上搭了一间小屋，与妻子住在里面。

平日砍来竹子割来藤条，编织成各类器具，再拿到城里去卖，勉强可以糊口度日。也经常编一些鱼篓子和装鱼鹰的筐子，送到贺茂忠辅家。

第一次碰上怪事，是在六天前的夜晚。因为有事，夫妻俩去了一趟大津。事情就发生在回家后的当天晚上。

在回家途中，为了点鸡毛蒜皮的小事，夫妻俩发生了口角。

他们到大津去，是为了卖捕鱼用的鱼筌。那是猿重费尽心思自己设计制作的。他用竹篾编成筒状的篓子，将篓子腰部编得细细窄窄的，入口处却很大。同时再编一个小小的竹篾筒子。不是篓子，而是两端都有口，是名副其实的筒子。不过，这个筒子一端开口大另一端开口小，呈漏斗型，然后把它嵌入刚刚编好的竹篓腰部的狭窄部分。

小竹篾筒子的小口朝里，大口朝外。大口的尺寸与竹篓腰部的狭窄部分大小相同，恰好可以嵌得严严实实。然后在竹篓里放入蚯蚓、死鱼等诱饵，沉到河底。就这么放置一个晚上，第二天清晨从水中捞起时，里面便会有许多鲫鱼、鲤鱼、河鳗，以及杂鱼、蟹等。

有些渔夫也使用类似的鱼筌捕鱼，然而猿重精心编织的笼子显然要好使得多。于是，家住大津、平日在琵琶湖捕鱼为生的渔夫们听到这样的口碑，都纷纷来订购鱼筌。

猿重只是为了在鸭川上捕鱼养家糊口，才想出这么一个点子，这笼子也只供自家使用，然而忠辅觉得有趣，便也开始使用猿重的笼子捕鱼，这竟成了普及的契机。

"这玩意儿可真好使啊。"

大津的渔夫们从忠辅那里听到有关猿重鱼筌的传闻，都争先恐后地希望自己也得到一个。

这天，夫妇俩便是去大津送货。

回家途中的口角，是妻子先开火的。

"你干吗把什么都告诉他们？"妻子抱怨着。

猿重不仅卖笼子，而且连精心发明的笼子编织法也教给了大津的渔夫。妻子正是为此埋怨丈夫。

"可是你想想，就是要瞒也瞒不住呀。看到我编的笼子，只要手多少巧一点的人就可以仿造，随便多少都能编出来。"

"话虽这么说，可你也没必要连编织方法都告诉他们啊。"

"你可别这么说。一来他们都非常高兴，再说我们不也卖出了好价钱吗？"

"可是……"

一直到鸭川桥上，两人还在争论不休。

当晚，两人分床睡了。

就在这天晚上，一位不速之客来到了猿重的小屋。

猿重已经睡熟了。

"喂……"

猿重恍惚听到外边传来呼唤声。

"有人在吗……"

声音来自小屋外面。在黑暗中，猿重睁开眼睛，只见细细的月光从挂在门口的草帘缝隙中钻进来，照在屋内。

"喂，猿重大人……"

声音就是从草帘外传来的。似乎有人站在门前呼唤猿重。

猿重揉着惺忪的眼睛，站起身来，似乎依然半睡半醒，头脑昏昏沉沉。

"马上就要冲走啦！"

那个声音说，是个男人的声音。

"你不管的话，马上就要冲走啦！"

这声音，猿重以前从没听到过。

掀起草帘，只见月光下站着一个男人，身穿印着碎花、衬有内裆的和服男裙裤。

"快来！请快一点！猿重大人……"

猿重站在门口，左手被男人伸出的右手拉住了。

"要冲走啦！要冲走啦！"

就这样，男人牵起猿重的手就往外走。

究竟是什么要冲走了？这跟自己有什么关系？

猿重很想问个明白，不知何故却说不出话来，感觉喉咙仿佛被什么东西堵住了，好像有泥土、小石头或是其他东西堵住里面一般，发不出声音。

"要冲走啦！要冲走啦！"

男人心急火燎地拉着猿重的手匆匆走着，沿着鸭川，顺着河堤朝下游走去。

月色分明。河水声从黑暗中传来。不久，眼前出现了一座桥，就是白天猿重夫妻走过、架在鸭川上的那座桥。

碎花桥——这一带的人都这样称呼这座桥。

"来来！到这边来……"

男人拉着猿重的手，在月光中上了桥。猿重跟在他后面。

"要冲走啦！马上就要冲走啦！"男人口中不停地喃喃自语。

走到桥中央，男人忽然变了方向，向左转，拉着猿重的手朝上游方向的栏杆走去。

"来来！就是这里。"

男人越过高高的栏杆，纵身跳下河去，手仍然牵着猿重。猿重的手被一股强劲的力量牵着，眼看就要掉下河去。

"你干什么！"

耳边忽然传来女子高声的呼叫。

"危险！"

一个人紧紧抱住了猿重。回过神一看，原来那女子正是妻子。自己整个上半身已经探出栏杆，正从桥上俯视下面黑黑的河水。差一点就掉到河里去了。

"你想寻死吗？"妻子责问猿重。猿重额头不觉大汗淋漓。

"不、不是，哪里是寻死呀。刚才有个男人来访，我是被他一直拉到这里来的。"猿重脸色苍白地说。

"你胡说什么！你一直是一个人呀。哪有什么人拉着你的手？"

"这不，你看，就刚才那个男人还和我在一起……"

"什么人都没有！"妻子说道。

妻子告诉他，事情原来是这样的——

睡在床上的妻子，被邻床的丈夫窸窸窣窣起床的声音吵醒了。

"哎……"她喊丈夫。然而丈夫似乎根本没有听到。

不一会儿，丈夫便掀开挂在门口的草帘，走到外面去了。

起初，妻子还以为丈夫在外面养了个情妇，肯定是要到什么地方去跟女人幽会，便决定在后面跟踪。跟着跟着，发现丈夫只是独自一人顺着河堤朝下游走去，不久，就来到了白天从大津回家时经过的那座桥。

丈夫走上了那座桥。走到桥中央时，忽然改变方向，打算跃过高高的桥栏杆。

就算为了白天的口角，丈夫也不至于寻死呀，但跃过栏杆掉到河里，他就必死无疑了。于是，妻子急忙大声呼唤丈夫，丈夫才醒过神来。

听到妻子的一番话，丈夫不禁毛骨悚然。

第二天，怪事又发生了。

夜晚，猿重睡在床上，感觉妻子从床上爬起来。大概是去茅厕吧。可是又觉得有点不对头。

茅厕在外面，直接出去就可以了，她却站在草帘门前说："是……"好像在跟谁说话。

直到这时，猿重依然处于半睡眠状态，头脑尚未完全清醒。当妻子走出屋外时，才猛然醒过神来。他想起了昨晚自己遇到的事，赶忙从床上爬起来，追赶着妻子来到外面。

然而，门外已经不见妻子的踪影了。

妻子已走到河堤上，还在急匆匆向前赶去。借着月光，可以看见河堤上只有她一个人。

妻子左手向前伸出，似乎被谁牵着手，一个劲儿朝前赶。明明是在走路，速度却快得犹如小跑一般。

猿重暗想，会不会是昨晚发生在自己身上的事，这次又发生在妻子身上了？

昨天夜里，自己的确听到了男人的声音、看见了男人的身姿，然而妻子却说没有听到任何声音，也没有看见人，与此刻自己亲眼看见的情景一模一样。

也许，妻子现在正听着谁的声音，看着谁的身影。她可能确实感觉正被人用力拉着手吧。猿重想追赶妻子，却两腿发软。

如果自己不知道真相，自然会毫不犹豫地去追赶妻子、呼唤妻子，可是已经从妻子口中明白了昨夜发生在自己身上的事情。

妻子的模样显然不对头。昨天夜里拉着自己，想把自己拖到河里的那只手，恐怕现在正拉着妻子的手。

一想到可能是某种可怖的鬼怪或妖异缠住了妻子，追赶妻子的念头几乎不由自主要消失了。

正在踌躇不决时，妻子的身影很快越去越远。到底不能扔下妻子不管，这个念头还是占了上风。猿重奋力追上前去。

妻子的脚步很快。好不容易要追上的时候，她已经走上了那座桥。

猿重赶紧加快脚步。脚刚刚踏上桥面，妻子已经到了桥中央，正要跃过栏杆。

"等等！"猿重大声喊着，一面呼唤着妻子的名字，一面飞跑过去。

听到猿重的呼唤，妻子浑身一震，回过神来，然而上半身已经探到栏杆外。猿重冲上前去，从背后抱住了妻子。

妻子被重新拖回桥面，发现救了自己的就是丈夫，当即依偎在丈夫身上，身体不禁微微颤抖。她似乎已经明白在自己身上发生了什么。

回到小屋，听了妻子的说明，猿重知道昨天夜里发生在自己身上的事情，一模一样地在妻子身上重演了一遍。不过，来找妻子的不是男人，而是女人。

这天夜里，妻子听见有人喊自己的名字，掀开草帘门一看，一个身着蓝色窄袖便服的女子站在那里。

"不快点去的话，就要冲走啦！"有个女人说。

"来来，快点啊！到这边来……"

说完，女人拉起妻子的手，举步便走。妻子还在睡梦中。

"昨晚走得太慢，所以没赶上。今晚得加快脚步了。"

说完这话，女人便疾步走去。如果不是猿重及时赶来，妻子就像昨天夜里的猿重那样，险些掉进河里丧生了。

次日——

夜晚降临，猿重和妻子都没有睡觉。脚边放着砍竹子用的砍刀，地炉里烧上火，为了不致昏昏睡去，两人不停地说着闲话。

到了子夜时分——

"喂！"

"喂！"

门外响起一男一女两个人的声音。

事后两人交谈才知道，原来猿重只听得到男人的声音，而妻子只听得到女人的声音。

"出来呀！"

"出来吧！"

两人的声音分别传了进来。

"再不快点，就要冲走啦！"

"就要冲走啦！"

"来吧！把这草帘掀开吧。"

"掀开吧！"

"掀开！"

"草帘！"

猿重和妻子仿佛要相互制止对方的颤抖，在地炉边紧紧地拥抱在一起。猿重右手握着砍刀，咬紧牙关。牙齿还是禁不住打战，发出咯咯的响声。

"不掀开草帘的话……"

"我们没法进来呀。"

"请快点开口说'进来吧'！"

"请快点说吧！"

"不然的话，我们可要自己找入口啦！"

"我们自己找啦！"

话音未落，对方似乎开始行动起来。两个人分开了，一个往左，一个往右。小屋两侧都听到了类似脚步声的动静。

脚步声停止了。

"是这儿吗？"

"是这儿吗？"

每当话音传来，钉在小屋外侧的木板便发出嘎吱嘎吱的响声。

"这儿太狭窄了吧？"

"这木板只能挺到四天以后。"

"刮风吹走它吧！"

"嗯，吹走它！"

"吹走它，我们就能进去了。四天以后就行了。"

"可是四天以后就来不及了。"

"嗯。"

"嗯。"

两人的脚步声又回到小屋门口。

"喂，猿重大人……"

"夫人……"

"请开门呀！"

"请开门吧！"

"快说一声'请进'吧！"

"快说一声'请进'吧！"

"不然的话，就要冲走啦！"

"不然的话，就要冲走啦！"

两人怨毒的声音持续了整整一夜。

接下来的第二天、第三天夜里，都发生了同样的事情，猿重夫妻终于忍受不了，到朋友贺茂忠辅处来商量对策。

三

"所以，今天忠辅送香鱼来的时候，顺便告诉我这件事情。"

晴明把事情的经过讲完，太阳已经快落山了。夕阳斜照在院子里。云朵似乎在快速地飘动，影子也投落在庭院里。

"原来是这样……"博雅点点头，"可是，为什么这一男一女进不了小屋呢？"

"房屋的墙壁，其实原本就是一种结界。毫无缘分的东西是轻易进不去的。如果猿重夫妇与这一男一女有某种强韧的联系，那就另当别论了。假如不是这样，只要里面的人不说'请进'，或者不将门窗洞然大开，即便是妖物，也不能轻易进得去。"

"噢。"

"不过，要是妖物的欲念比现在更加强烈，迟早总会闯进去。"

"唔。"

"看这情形，恐怕今天夜里就很危险。"

"不是说四天之后的夜晚吗？"

"那就是今天。"

"唔。"

"今天夜里大概要出事吧。"晴明不无忧虑地说。

"出什么事？"

"这个嘛……"

晴明仰望着天空，不知何时，天上已经浓云滚滚，自西向东流去。云朵遮蔽了阳光，周围变得昏暗起来。起风了，庭院中的花草吹得沙沙作响。

"晴明，你是怎么回答忠辅的？"

"承他经常送来鲜美的香鱼嘛，虽然不知道能否办妥，但总要去一趟喽。"

"真去吗？"

"嗯。"

"什么时候？"

"今晚。"晴明仰望着浓云越来越多的天空。

"博雅，你打算怎么办？"晴明问。

"哦……"

"去不去？"

"嗯。"

"去吧。"

"去吧。"

于是，事情就这么定了。

四

晴明和博雅由忠辅领路，来到猿重的小屋。

周围已经渐渐黑暗起来，河滩上的草迎着风左右摇摆。

不仅是因为已到黄昏时分，而且因为厚厚的云层覆盖了整个天空。

"看来，暴风雨要来了。"

博雅话音刚落，一滴犹如小石子大小的雨，砸在晴明的脸上。

忠辅将晴明和博雅介绍给猿重后，便匆匆返回自己家去了。

猿重受宠若惊。晴明亲自光临小屋，就足够让他诚惶诚恐了，更何况连殿上人源博雅大人也一起驾到了呢。而且两个人都没坐牛车，是徒步走来的。

由于"黑川主"一事，猿重已经从忠辅那里听说了晴明和博雅的事情，然而一旦两人真的站在眼前，猿重连话都说不出来。

晴明一走进小屋，便在地炉前坐下，从怀里取出两个木制的小人。

他把一个小木人拿在左手，从地炉中捡起一根烧残的木炭，在上面写下猿重的名字，在另一个小木人上则写下妻子的名字。

"那么，请两位把自己的头发给我几根吧。"

晴明接过猿重夫妻二人的头发，将它们分别扎在小木人身上。猿重的头发扎在写有猿重名字的小木人上，妻子的头发则扎在写着妻子名字的小木人上。

"另外，你们身上穿的衣服能不能随便撕一块给我？"

猿重和妻子当即各自从衣服上撕下一小块布条。好像给小木人穿衣服似的，晴明将布条裹在小木人身上。从猿重的碎花裙裤撕下的布条裹住猿重的小木人，从妻子窄袖便服撕下的布条裹住妻子的小木人。

"好啦，都准备妥当了。"晴明说道。

"这样，就可以平安无事了吧？"猿重忐忑不安。

"应该不要紧了吧。但我另外还有一点担心。"

晴明话音未落，便由远而近传来一阵地鸣般的低沉响声。这响声逐渐增大，随即响起暴雨猛烈敲击小屋的声音。小屋周围的草丛沙沙作响，开始剧烈地翻滚起伏。

"是暴风雨！晴明，暴风雨终于来了。"博雅大声说着。

"生火……"

晴明一说，猿重连忙把准备好的木柴放入地炉里，点起火来。

木柴起初冒着青烟，不一会儿就噼啪作响，熊熊燃烧起来。

"这种晚上，它们也会来吗？"猿重惊恐万分地问。

"肯定会来。"

晴明把握十足地回答。

"来吧，博雅，把准备好的酒拿出来，乘那两位还没到，我们先喝上一杯，边喝边等，怎么样？"

五

围着地炉，晴明、博雅、猿重，以及猿重的妻子，四人一起用素陶酒杯喝着酒。

外面，狂风暴雨愈加猛烈。鸭川河的流水声化作隆隆巨响，从黑暗深处传过来。大块的岩石竟被浊流冲走，甚至可以听到河流中岩石相互碰撞发出的砰砰声。

闪电不时从天上划过，接着便是地动山摇的雷鸣。

刚才凭借着灯光才可以看清晴明和博雅的脸庞，当闪电划过的一瞬间，两人的面孔便从黑暗中浮现出来。

"真够厉害的。"

"嘘！"晴明压低声音示意博雅噤声。猿重夫妻顿时紧张起来。

"来了。"晴明平静地说道。

仿佛应声而至似的，一个低沉可怖的声音随即传进来。外面似乎站着什么人，牢牢堵住了门口。

"喂……"

"喂……"

暴风雨中，可以听见细细的人语声。猿重和妻子哆嗦着缩成一团。

"晴明，好像有谁来啦。"博雅说。

"呵呵。你也听见了？"

"嗯。"

"是这惊天动地的喧嚣，使你的心也跟着一起激烈地跳动了吧？"

"我可没有激动啊。"

"只是一个比喻。你的耳朵能分辨出笛子和琴类那微妙的音响，所以才能与这惊天动地的喧嚣相呼应，分辨出那门外的声音。"

"猿重大人……"

"夫人……"

在晴明说话的时候，门外面一男一女的声音不断传来。

"不快点走，就要冲走啦！"

"马上就要冲走啦！"

"来来，快点吧！"

"来来，快点吧！"

仿佛是应和着这话语声，一阵更为强劲的狂风将小屋屋顶掀了起来，随着一声巨响，一部分壁板被撕扯开来，猛烈的风雨立即倾泻进来。

"啊，打开啦！"

"就是上次咱们说的那个地方。"

屋外响起两人喜悦的声音。

"快对他们说'现在就出去'！"

晴明对颤抖不已的猿重和他的妻子说。

"是、是……"猿重脸色苍白地点头应道。

"是、现在、马上就出去！"猿重的声音近乎哀鸣。

"马上就出去！"猿重的妻子高声喊道。

"啊！"

"哦！"

"那就快快出来吧！"

"那就快快出来吧！"

听到这里，晴明走到博雅的面前，说道：

"你把这个从草帘缝中递到外面去……"

晴明拿出已经准备好的两个小木人，交给博雅。

"唔……"博雅接过小木人，扑到草帘前，一边把小木人从草帘的缝隙中塞出去，一边透过缝隙观察外面。

一道闪电划过，站在外面的两个身影在黑暗中浮现出来。那一男一女全身承受着猛烈的暴雨，得意扬扬地露出笑容，这情景牢牢印在博雅眼中。

两人的身影消失了……仿佛被抢走一般，博雅手中的两个小木人也消失了。

"来得太好了！"

"来得太好了！"

只听草帘外传来两个人欢喜的声音。

"快走吧。"

"快走吧。"

那声音已经距离小屋很远了。

"咱们追上去吧，博雅。"晴明说道。

"冒着这么大的风雨？"

"咱们得看看接下来会发生什么事。"

晴明既没戴斗笠也没穿蓑衣，撩开草帘便冲到外面。

"等、等等……"

博雅随后也跟着冲了出去。

雨点不断地敲打在身上，两人当下便全身湿透。

"不用担心。我们还会回来一趟。"

晴明对着小屋里面招呼一声，然后在暴风雨中疾步走去。博雅紧跟其后，淋得像只落汤鸡。

漆黑的夜色，伸手不见五指，只能听见天地的轰鸣声。

暴雨。

狂风。

滔滔的河水声从黑暗中传来。黑暗中，博雅分辨不出东西南北。

"晴明！"博雅高声呼叫。

"博雅，我在这里！"晴明大声回答。

博雅朝着声音传来的方向走过去，撞到一个人身上。原来正是晴明。

"博雅，抓住我的衣服，跟着我走。"

博雅抓住晴明的衣服，晴明再次迈开脚步。

沿着河堤，应该是在朝着河的下游方向走，然而博雅不敢肯定，已经完全晕头转向了。

"咱们快点走。"晴明加快脚步。

雨点敲打在身上，让人感到浑身生疼，简直就像在水中行走一般。

"马上就要到碎花桥了。"晴明说完，停下了脚步，"好大的水啊，博雅……"

大概是在说河水，然而博雅根本看不见。

"这就是桥了。"

"桥?!"

什么都看不见，只有狂暴的风雨声在耳边呼啸。河水滔滔。

"那两个人走上桥了。"晴明把眼前看见的情景告诉博雅，"可是这河水太大了。这样下去的话，桥可坚持不了多久。"

"可是，最近好多年，不论多大的洪水，这座桥都没有被冲垮呀。"博雅大声说道。

"那也就到今晚为止啦。"

晴明刚说到这里，不禁低声惊呼。

"啊，桥晃动了?!"

"博雅，桥要被冲垮啦！"

话音未落，只听吱吱呀呀、嘎嗒嘎嗒，桥被冲毁时发出的声响传入博雅耳中。

这时——

一道闪电从天上划过，眼前猛然一亮。刚才还是漆黑一团的世界，一瞬间浮现在光明中。

"啊！"博雅看到眼前的景象，不禁倒吸一口凉气。那是一幅异样的光景，让人魂飞魄散惊骇不已。

从前熟悉的鸭川已经消失得无影无踪。他熟悉的鸭川，是一条河床宽阔、河面分成好几道细流、向下游潺潺流去的美丽的河。

然而那条鸭川，现在已变成一条大得惊人、只有一条河道的黑色浊流。河水一直漫到两岸河堤的顶部，翻滚着比人还高的浪头。如同屋子大小、黑瘤一般的巨浪一个接一个撞击着桥身。

水漫过桥面。受到水势的冲击，桥身开始倾斜，中央部分已经扭曲。

靠近桥中央的栏杆上，不知是有意跳下去，还是不小心摔下去，一男一女两个身影正向着下面的浊流掉落。

"啊！"

当博雅惊叫出声时，这景象已经消失在黑暗之中。宛如巨石落地的雷鸣，轰轰隆隆响起来。

桥崩溃时的声响，令人惊骇地在黑暗中回荡。

博雅站在风雨中。不久，这声音从他的耳边消失了。

"晴明——"博雅呼唤着他。

"博雅，结束了。"晴明说道。

六

"其实啊，博雅……"晴明坐在庭院的外廊内，和博雅一面喝酒，一面说，"'碎花桥'这个名字，便隐藏着破解秘密的钥匙呀。"

这是在晴明的宅邸。自那个暴风雨之夜以来，已经过了三天。今天，风静雨息，夜空中挂着一轮明月。

"什么钥匙？"博雅问。

"就是祭河神啊。"

"祭河神？"

"嗯。"

晴明点了点头，开始述说起来。

从前，每年到夏天发洪水时，架在鸭川上的那座桥便会被大水冲走。桥被冲毁后再造，造好不久又被冲走。这样的事情无数次反反复复发生。

"一定有什么原因。"

天皇便把阴阳师召来询问解决办法。

结果阴阳师说:"要以活人祭河神。"又说:"而且,不能是普通人。必须是身穿白色碎花裙裤的男人,才更合适。"

一般来说,在古老的陋习中,用活人祭河神时,用女子或儿童为多见。女子和儿童在五行中属土,如按五行之说,正是"土克水",可以堵住水、支配水。然而那位阴阳师却有意不照常例行事,说用一名男子祭神就可以了。

于是,天皇立即下诏:但凡有知道身着碎花裙裤的男子,一律不得隐瞒,必须立即举报。举报者赐以巨额赏金。

当然,即便有谁知道身边熟人中有穿碎花男裙裤的,也明白一旦举报便是送他去死,自然不会去告密。

然而,却有一个女人声称:

"我家男人,爱穿衬有白色内裆的碎花裙裤。"

妻子出面把自己的男人告了。这女人经常与自己的男人发生口角。她便打算乘机把男人告了,还可赚一笔赏金。

"就算跟你生了十个孩子,可女人呀,说到底就是这样一种东西啊。"那男人哭诉着。

这时,有人站出来说话了:

"要祭河神的话,通常不都是用女人和儿童吗?如果单是男人的话,还是让人放心不下。同时再用一个女子祭神岂不更好?"

那男人听到了这话,说道:

"如果这样的话,就请用我的老婆来祭河神吧。我们夫妻俩情愿奉献性命,护佑桥梁。"

男人的恳求被采纳了。于是,男人和妻子一起被埋在桥柱下面,祭了河神。此后三十年间,无论发生多大的洪水,这座桥都没有被冲毁。

"但是，今年终于被冲走了。"

博雅感慨地说。

"那对怨偶是知道这件事的。所以在桥被冲走之前，便四下物色新的祭河神的供品。"

"于是猿重和他的妻子被盯上了。"

"正是。"

"可是，为什么偏偏是他们夫妇呢？"

"第一次出现怪事的那天，猿重和他的妻子不是正好一边争吵，一边从那座桥上走过吗？而且，猿重恰好穿着碎花裙裤。简直是雪中送炭啊。"

"不过……"

"怎么了？"

"那对变成妖异的夫妻，本来都不是自愿去祭河神的，可是一旦做了祭河神的牺牲，竟还忠诚地执行护佑桥梁的任务，原来也都是不错的人啊。"

博雅说罢，喟然长叹。

七

暴风雨平息之后的第七天，水终于退下去了。人们来到那座桥畔，桥已经全无踪影，只在河流的左右两岸各残存着一根桥柱。

为了重新建造桥梁，在挖桥柱子的时候，人们发现了两具已经化作白骨的尸体。其中一具依然穿着碎花裙裤。而且，据说在两人早已化作白骨的手中，居然还各自握着一个小木人。

根据晴明的建议，就用这两个小木人代替活人祭河神，埋在新桥的桥桩下。据说从此以后，无论这座桥遇到多么大的洪水，都没有被冲垮，一直维持了整整四十年之久。

骷髅谈

一

清澄明朗的月光，照射着庭院。

这是秋季即将走到尽头的院落。红叶纷纷飘落在满地行将枯萎的花草上。

到凌晨，庭院里大概会降下白霜，形成宛似积了一层薄雪的景色。季节正在由秋向冬转换。大概再过十来天，庭院的景色就不妨称作冬天了。

夜空清澈澄明，空气中的清寒径直垂泻到大地上。

"真是光阴似箭啊。"

源博雅充满感叹地轻声说道。

"不久之前才刚刚送走夏天，此刻却已经快要进入冬天了……"

他们在喝酒。地点是在安倍晴明宅邸的外廊内。两人相对坐在粗木条地板上。外廊内只点了一盏灯火，晴明和博雅悠然自得地在杯里斟满酒，不时送入口中。

"人大概也一样，无论曾经何等强壮，肉体也会不知不觉衰弱，有朝一日回过神来，也许发现自己只剩一具枯骨，散落在荒草丛中了。"

"哦。"晴明漫不经心地点点头，举酒送到唇边，心中若有所思。

"所以有时候，人才会像从前那位永兴禅师看到的那具骷髅一样，厌弃俗世皈依佛祖吧。"博雅说。

也许是这番话触动了晴明，他似乎心中一动，眸子转向博雅。

"你知道永兴禅师的故事吗？"

晴明身穿白色狩衣，背靠廊柱，眸子炯炯闪亮，似乎对博雅的话很感兴趣。

"他就是南菩萨——都城原本还在奈良的时代，他是东大寺良弁僧正的门人。"

博雅一边举酒送往唇边，一边回答。

永兴禅师——从晴明和博雅的时代上溯二百余年，也就是在女帝称德天皇的时代，是居住在纪伊国牟娄郡熊野村的僧人。因为地处皇城南方，故被称作南菩萨。

"不过，晴明，说老实话，对我来说这个故事有点恐怖。"

"嗯，的确有点。"晴明道。

故事是这样的——

一天，有一位和尚来找永兴禅师。

和尚只带了一部《法华经》、一只白铜水瓶和一把绳椅。

"贫僧想在南菩萨大师门下修行，请大师收留。"

永兴禅师听他这么说，便让他留了下来。

这位和尚的修行法，便是念诵《法华经》。每天清晨、午间和夜晚，只管不停地念诵《法华经》。除了少量的进食和睡眠，其余时间都用来一心念诵这部佛经。就这样大约过了一年。

"至今为止，承蒙您多方照顾，不胜感谢。贫僧这就打算告辞，准备穿过伊势国，进深山去修行。"

和尚说罢，便把自己的绳椅留赠永兴禅师，离开了。

永兴禅师送给和尚两斗糯米干饭碾成的糯米粉，并派两位居士陪伴他，把他送走了。

一行人步行了约有一天。那和尚对两位居士说：

"请就此止步。"

说罢，便把两斗糯米粉及《法华经》、钵盂送给两位居士，打发他们回去了。自己手头只留下长三十多米的绳子和那只白铜水瓶。

自那以后，约莫过去了两年。一天，熊野村几个男人一起到熊野川上游的山里伐木，打算将砍伐的木材编成木筏，从上游将木筏放流而下，用这种办法把木材运回自己的家乡。

这群汉子正在山里砍树的时候，远方传来一阵人声。好像是有人在山中某处念诵经文。侧耳细听，原来念的是《法华经》。

"这一定是哪位尊贵的大师在山里修行。"

十天过去，一个月过去，三个月过去了，那声音却始终不曾中断。

这声音唤起了汉子们的信仰之心，他们打算给那位念经的大师送些吃的东西，然而到处都找不到他。

又过了约莫半年，为了放筏，汉子们再次进山，没想到那声音还在日夜不止地念经。这下，众人深感事情有点蹊跷，便把这件事禀告了永兴禅师。

"就是这样，现在依然可以听到念诵《法华经》的声音。"

永兴禅师进山去探访，果然听到有人在不断念诵《法华经》。循着声音进入深山，只见密林之中悬崖高耸，一具人的遗骸倒挂在绝壁之上。双脚捆着麻绳，看模样似乎是下定决心，纵身从崖顶跳下来的。那绳子凑巧勾在悬崖顶的一块岩石上。遗骸已经化作白骨，悬崖下却有一只似曾相识的白铜水瓶。

"啊呀，这不就是约莫两年半前，说要进山修行的那个和尚吗？"

这位和尚，死后依然还在不停地念诵《法华经》。

熊野的山，自古便是灵山，被认为离极乐世界最近。看来他是为了求佛法而舍身的。那座悬崖根本无法攀登，永兴禅师只得听任遗骸留在原处，挥泪返回寺院。

又是三年过去。熊野村的汉子们又来到永兴禅师处。

"前些日子我们又进山啦，这次还是能听到诵经的声音。"

于是，永兴禅师再次来到那个地方。这次，绳子已经腐烂，和尚的遗骸掉落在悬崖下。但仔细一看，那具骷髅口中的舌头居然没有腐烂，而且色泽鲜艳，起伏蠕动，不正是在念诵着《法华经》吗？

"大概是坚持念诵《法华经》，积下功德才会如此。这个人一定不是凡人，是一位真正的尊者啊。"

永兴禅师说罢，双手合十以表敬意。

二

"诚然，这不妨看作《法华经》灵验无比的例证，可是……"

博雅仿佛正在思考如何才能更准确地表达自己的想法。

"可是什么？"

"怎么说呢，晴明？一想到熊野山中，日复一日年复一年，无论春夏秋冬、白天黑夜，骷髅中的舌头一刻不停地念诵着《法华经》，不知怎么回事，我怎么都感觉不到他的崇高，反而感到毛骨悚然。"

"的确如此。"

"你也这样想吗？"

"是呀。"

晴明的红唇上浮出一丝冷静的微笑。

"人若是过分迷恋某位美人，失魂落魄之余，有时也会变成魔鬼。"

晴明注视着博雅。

"嗯。"

"执着心过分强烈的话，人有时也会变成魔鬼的。"

"呵呵。"

"念诵《法华经》，祈愿往生极乐，同样也是一种执着。"

"……"

"这位和尚恐怕也是执着心格外强烈吧。"

"照这么说，晴明，舌头念诵《法华经》，并不是因为《法华经》灵验的缘故喽？"

"是呀。恐怕是那位和尚强烈的执着心造成的。这大概也是一种鬼吧。"

"是鬼吗？"

"算是吧。"晴明点头，把目光转向博雅，"可是，博雅，没想到是舌头……"

"舌头？"

"嗯。你提到骷髅舌头，真是帮了我的大忙……"

"你在说什么？"

"就是舌头嘛。"

"舌头？"

"骷髅呀。"

"骷髅？"

"眼下正好有一件事情，我在犹豫不决。"

"是吗？"

"这件事其实也与东大寺有关。多亏你提起舌头，我已经心中有数，明白该如何处置啦。"

"究竟是什么事？"

"在西京，有一座寺院，名叫最照寺。"

"那个寺院我也知道。"

"约莫八十年前，曾在东大寺修行的常道上人创建了最照寺。这位上人曾蒙空海大师亲行灌顶礼。"

"嗯。空海大师与东大寺缘分原本很深。"

"早在七十五年前，常道上人就已经去世了。如今，最照寺的住持是一位法名叫忍觉的和尚。"

"这名字我听说过。在宫中还见过他几次。"

"他今年将满五十六岁。就是这位忍觉和尚最近遇上了一桩怪事。"

三

最初察觉到忍觉和尚情形不对的，是他的一位法名叫元心的弟子。

早晨修行的时候，忍觉没有露面。元心感到很诧异，便去探视，发现忍觉还在寝具中熟睡。

忍觉清晨修行迟到，与其说是难得有一次，不如说是从来不曾有过。元心反而感到松了一口气：就连师傅这样的高僧，偶尔也会睡过头。

"忍觉大人……"他呼唤道。然而，忍觉丝毫没有要醒来的迹象。

"忍觉大人！"这次他提高了声音，可是忍觉依然毫无起身的迹象。

莫非过世了？元心走到近前，把手放在忍觉肩头摸了摸，很温暖。而且忍觉还微微打呼噜。原来他还在熟睡中，只是叫不醒而已。

元心一边呼唤，一边轻轻摇晃忍觉的肩膀。然而还是叫不醒他。元心只好将嘴巴凑到忍觉耳旁，一边大声呼唤他的名字，一边使劲摇晃。这样应该叫得醒任何人，可忍觉依然没有睁眼。

"忍觉大人叫不醒。"

听到元心的通报，其他僧侣都聚集过来。众人尝试了种种办法，又是呼唤，又是往忍觉嘴里灌水，结果还是没能让忍觉睁开眼。奇怪的是，他只是长睡不醒，此外没有任何不正常的地方。

于是，众僧决定姑且让他睡一天，观察情形，倘若还是没有醒来的迹象，再考虑应该怎么办。

然而，整整一天过去，忍觉犹自高眠不醒。众僧正在商量该如何是好，冷不丁忍觉当着众人的面，"啊"的一声，嘴巴大大张开来。

起先的一刹那，大家还以为忍觉醒过来了，然而不是。忍觉只是张开嘴巴继续沉睡。然后——

"啊、啊……"

忍觉口中不断发出令人毛骨悚然的呻吟声。他的脸由于痛苦而扭曲变形，涎水从张开的口中流了出来。

忍觉看上去很痛苦，身体左右扭动，不断地呻吟。不一会儿，从他的口、鼻、耳中冒出烟雾，气味好似肉被烧焦一般。这可危险了。

众僧弄不清忍觉身上究竟发生了什么事情，只能一起动手打算按住狂躁不已的忍觉。没想到却被一股巨大的力量反弹回来。

"哇！"忍觉高声发出一声惨叫，猛地撑起上半身，睁开了眼睛。浑身汗水淋漓，仿佛刚刚洗完澡一般。

他又狂闹了一阵子，才渐渐安静下来。神智似乎也清醒过来了。

"元心……"

忍觉意识到大家都在身旁，便喊了一声弟子的名字。

"您醒过来了？"元心答应道。

"原来是做梦……"忍觉轻声自语。

"您梦见可怕的事情了吗？您看起来非常痛苦……"

"不，可是……如果是梦，刚才那光景简直太……"

忍觉似乎想说什么，又止住了话头。

"元心……"

忍觉看了一眼弟子，说："立即查看一下这间屋子的地板下面，看有没有什么可疑的东西，如果发现什么，马上拿到这儿来。"

"可疑的东西？"

"不论什么东西。总之，你马上钻到地板下面去看看。"

听到这话，元心便走到外面，从外廊下面钻到屋子的地板下。

不久，地板下传来一声惊叫。

"啊呀！"

又过了一会儿，元心回到房间里。

"这地板下面，竟然有一具人的骷髅！"元心向众人报告，"您吩咐我把它拿过来，可是，太可怕了，我不敢碰它……"

"去把它拿来吧。那具白骨就是两年前去世的寿惠大师。"忍觉说。

"可是，寿惠大师不是埋葬在寺院后面的墓中吗？"

"你去寿惠大师的墓地看看吧。"

不久，奉命而去的元心脸色苍白地回来。

"寿惠大师的坟墓被扒了！"

"不是被扒了。那是寿惠大师的白骨自己从坟墓里爬出来时，留下的痕迹。"

"啊？"

"总而言之，快到地板下面，把寿惠大师的白骨拿来。不必害怕，寿惠大师救了我的性命啊。"

面对着从地板之下拿来的骷髅，忍觉讲起自己的怪诞梦境。

四

起先，我还以为是在做梦——忍觉这样说道。

在梦中，忍觉在山上行走。然而如果说是梦，那一片片树叶、一根根野草却又是那样分明。

沿着溪水向下游走去，连潺潺的水声也那么清晰，用手触摸一下溪水，那水也是凉冰冰的。野鸟啼鸣，一阵风吹过，头上的树叶便随风摇摆。

怎么也不像是梦境。这哪里会是梦呢？然而，如果不是梦，自己究竟又是什么时候到这个地方来的？

涉过溪水，登上山路，再继续前行，过一阵子，眼前出现一片开阔地，建有一幢房屋。

大唐风格的瓦屋，游廊似的建筑细细长长，房屋一间间隔开，看上去好似僧房。走进里面一看，果然有位僧侣的身影，而且似曾相识。

忍不住想上前打招呼，但忍觉打消了这个念头。他忽然想起来，这是以前住在最照寺的僧人，约莫三年前便已经过世了。莫非是那个和尚死后变成了恶鬼，就居住在这深山老林里？

正在狐疑不定，对方也察觉到忍觉的存在。那和尚脸色发青，走近前来。

"你怎么会到这种地方来了？这里可不是常人随便能来的地方。真是奇怪……"

和尚满脸认真的神情，看上去并不像成了恶鬼，然而，忍觉却听不懂和尚的意思。

"你大概不知道，这里实在是非常可怕的地方。"

和尚浑身颤抖。

听了这话，忍觉越发觉得莫名其妙。

就在这时，一个声音传了过来：

"哎呀，忍觉是我喊到这里来的。"

循声望去，原来站在那里的居然是忍觉的师傅、两年之前便已过世的寿惠上人。

"寿惠大人，您怎么会在这里？"

"哎呀，来不及跟你慢慢说。那些家伙马上就要来啦。"

"那些家伙？"

"那是一群可怕的家伙。我们每天都在这里受着痛苦的煎熬，你可一定要亲眼看一看我们遭受的痛苦。"

"痛苦？"

"啊，不错。就是痛苦啊。"

最先见到的那个和尚流着眼泪说。

"您如果也在那所寺院中过世，有朝一日也得到这里来。"

那个和尚的身体依然在颤抖。

"为了让你亲眼看一下我们在这里的情形，我才去把你喊了来。我跌跌撞撞地赶到你那儿，结果却无法进屋，便钻进地板下面，等你睡着之后，就把你带到这儿来了。"

寿惠上人满脸憔悴地说。

"啊呀，时间到了，那些家伙要来啦。"

最先遇见的和尚说着，牙齿咯咯作响，吓得直打战。

"你听好：找个隐蔽的地方躲起来，好好看着我们受的是怎样的痛苦。回到人世之后，你要想方设法救救我们。"

"寿惠大人，这究竟是怎么回事？"

"在我所有的弟子中，你是最为出色的一个。我相信你的能力，万事都拜托你了。已经没有时间详细解释了。你赶快躲藏起来！听好：无论你看到什么光景，千万不能喊出声音！"

刚说完，寿惠上人便推着忍觉的背，要他赶快躲藏起来。

忍觉慌慌张张地藏在一块大石头后面，刚躲好，便看见对面的天空中，有一群人飞过来。

那些人的衣着打扮仿佛是唐人模样，一个接着一个从空中降落在庭院里。总共约有四五十人。

"好啦，今天照常开始吧！"

其中一个看似首领的男人说道。

"是！"

众人齐声回答，随即在院子中干起活儿来。

他们先是挖土，然后架起像是磔杀窃贼用的行刑柱似的东西，又不知从哪里搬来木柴，烧起熊熊大火。在火上架起一口大锅，放入铜块使其熔化，像是煮一锅通红的开水一般，咕嘟咕嘟煮起沸腾的铜汤。那首领模样的男人坐在胡床上，注视着这一切。在他的身后，插着好几面红色的旗子。

等一切都准备齐全，领头的男人下令：

"来啊！把罪人拉过来！"

于是，唐人们七手八脚闯入屋内，接二连三地从里面拖出十几名僧人。仔细一看，其中有几个僧人忍觉认识，都已经谢世多年了。

其中既有在这里最先遇见的那个和尚，也有寿惠上人。无论是谁，都因为极度恐惧而五官扭曲，甚至有人在号啕大哭。

"好吧，就从你开始吧！"

那首领指着一个僧人说。几个唐人围了上去，抓住那个号啕不已的僧人，把他绑在柱子上。

"饶了我吧！饶了我吧！"

一个唐人对准他的嘴巴，把一双又粗又大的金筷子塞进去，撬开他的嘴。嘴被撑到最大限度，那个僧人甚至连声音也发不出来了。从那只能发出婴儿般呜咽声的口中，涎水滴滴答答不断流下来。

"至今为止，你有三次把饭粒掉在桌子上，却听之任之，没有捡起来吃掉，是不是！"那首领说，"所以，你必须喝三杯。"

另一个唐人取出一把装有长柄的铁勺，从大锅里舀出滚汤似的黏稠铜汁，朝着那僧人的口中灌进去，不多不少恰好灌了三杯。

从僧人的鼻孔和两个耳孔里，说不清是热气还是烟雾的东西冒了出来。不久，僧人排出了鲜血淋漓、又黏又稠、仿佛是熔化的内脏似的东西。

其间，又一个僧侣被拖出来，绑在另一根柱子上。

"你在最照寺扫院子时，居然不加小心，一共踩死过七只蚂蚁。所以你是七杯！"

于是，这名僧侣被强灌了七杯滚烫的铜汁。就这样，有打死正在吸血的蚊子的，有掐死虱子的，都被逐一问罪。僧侣们一个接一个被绑到柱子上，撬开嘴巴，灌入铜汁。

最后，轮到寿惠上人。

"你在十九岁那年，看到过一位年轻姑娘，心中生了苟且之念，是不是？"

那首领喝问。

"可那是出家之前的事情。"

寿惠上人刚说完，便有人用金筷子撬开他的嘴巴，灌入熔化的铜汁。

僧人们的耳朵和鼻子里，都泛出了烟雾，发出烧焦一般令人作呕的气味。寿惠上人也在痛苦地挣扎。

实在惨不忍睹，忍觉终于按捺不住，"哎呀"一声，情不自禁喊了出来。

"咦？好像有人。"

转瞬间，唐人们围住忍觉藏身的岩石，发现了他，将他带到首领面前。

"嗬！你还活着。虽说你早晚还是要来到这里，但现在还没到时候……"说着，首领的嘴角露出了得意的狞笑，"哈哈，我知道了，是这里的人把你喊来的吧。是谁喊你来的？"

这个问题当然不能回答。只能紧闭双唇。

"那么，你也喝点吗？"那首领说。

忍觉"哇"地大叫一声想逃命，却无从逃脱。最后如同其他僧侣一样，也被绑到柱子上，嘴巴被金筷子撬开。

"来呀，味道好极了。快喝！"

唐人说着，把熔化的铜汁灌入忍觉的口中，烫得忍觉几乎昏死过去。

正在苦苦挣扎时，耳边传来寿惠上人的声音。

"是我！是我把这人带来的。忍觉，赶快睁开眼睛！只要醒过来，你就可以逃离这里！"

声音渐渐远去。周围的风景逐渐变淡,越来越模糊,终于看不见了。

"没用。就算逃得了一时,日后也要把你抓回来。一定,要去抓你……"首领说话的声音,也渐渐地远去……

终于,忍觉清醒过来。

五

"可是,这也太不像话了。"博雅说。

"人嘛,只要活在这世上,总会有不小心踩着蚂蚁的时候吧。掉落饭粒会有,见到美貌的女子便怦然心动也会有,如果说这也是罪过……"

"那么,这世上人人都难逃法网,个个都是罪犯了。"晴明道。

"结果呢,结果怎样了?"博雅问。

"你是说忍觉大人吗?"

"嗯。"

"忍觉大人知道在地板下发现的骷髅是寿惠上人,正是这位寿惠上人与其他僧侣死后在某个地方遭受可怕的折磨……而且,希望有人去拯救他们。现在所知道的就只有这些了。"

然而,不知道该如何着手。不仅如此,那个首领还声称一定要来把忍觉抓走。一想到万一睡眠中被抓走,忍觉便惊恐万分,不敢入睡。

就算相信这一切仅仅是一场噩梦,地板下面又为什么会有寿惠上人的骷髅呢?而且自己逃走以后,寿惠上人又受到了怎样的折磨?

只要一入眠,也许就可以明白所有的一切,可是,睡眠已经成了一桩十分恐怖的事情。

"就因为这个缘故,听说忍觉大人已经三天三夜没睡了。"

"唉……"

"因为实在看不下去,刚才最照寺那位名叫元心的和尚,赶到这里来找我了。"

"既然这样，你再不赶快行动的话，忍觉大人不就要睡着了吗？"

"听说每当昏昏欲睡的时候，他便念诵《心经》，让自己保持清醒。"

"现在还不该动身赶去最照寺吗？"

"是啊。但是去了之后该如何行动，我还在犹豫不定呢。幸好今天晚上你要来，所以我告诉最照寺那边，说等你来后，和你一起去登门拜访。"

"我也跟你一起去吗？"

"对。你也一起去。因为你常常说出我意想不到的事，帮了我很多次，今晚也是一样啊。"

"今晚？我说了什么？"

"你不是提起永兴禅师和骷髅舌头的故事吗？"

"不错。可这又有什么关系呢？"

"总之，博雅，这话咱们在去最照寺的路上再慢慢谈吧。你说得一点也不错，是该动身了。"

"嗯。"

"去吗？"

"去吧。"

"走吧。"

于是，事情就这么决定了。

六

"奇怪……"

晴明说着，两人已来到最照寺的山门前。

山门敞开着。进门之后，沿着石阶走上去，上面另外还有一扇大门，门内就是正殿。

"怎么了，晴明？"博雅问。

晴明仰望着耸立在古杉木之间的黑漆漆的山门。

"听那位来找我的元心和尚说，山门这里应该有人迎接我们啊。"

晴明低声说着，穿过山门，登上石阶。博雅紧随在后。

左右两侧，古杉的枝叶覆盖在头上。月亮的清光恰好投落在石阶的中央，好像照出一条小径。

两人沿着石阶来到大门前，发现这里的大门也敞开着。四周没有人影。跨进门内，依然没有人的动静。

朝着庭院方向走去的晴明，忽然停下脚步。

"怎么了，晴明？"博雅压低嗓门问道。

"有人来啦。"晴明仿佛私语似的说。

只见正殿的阴影处，出现了几个人影，正在朝着庭院方向走来。一个，两个，三个……共有五个人。四个男人是唐人打扮，另外一个身穿僧衣。

身着僧衣的男人，右手被一个唐人打扮的男子牵着。走在前面的唐人似乎是领头的，正朝着这边走来。

"你看得见吗？"晴明问。

"如果你指的是向这里走来的五个男人，我看得见。"博雅回答。

仔细一看，五个男人在月光下，个个都全身发着朦胧的青光。透过领头人的身体，依稀可以看见跟在后面的人的身姿。由此看来，这些人似乎都不具实体。

"都是阴间来客呀……"晴明低声说着。

唐人打扮的男人们走过来，在晴明跟前止住脚步。

"咦，在这种地方，居然还有两个人呢。"一个唐人说道。

"这两人没有睡着。"

"他们醒着。"

几个人纷纷说道。

"你们牵着的就是忍觉大师吧？"晴明问。

"你认识这和尚吗？"

站在前面、首领模样的唐人说。

"那么果然是他啦。能否请你们松开他的手？"

晴明语调平静地说。

"这可不行。待会儿还得让他饱尝滚烫的铜汁呢。"

"请放了他。"

"再碍事的话，连你也一块带走，让你也去喝铜汁。"

"你们想试一试吗？"

晴明丝毫没有畏惧的神情，微微地笑。

"哎呀，烦透了。干脆把这两个家伙也带走……"

那首领说罢，嘴里念念有词，伸手指着晴明。

"奇怪！你怎么会睡不着呢？"

"你这一套，对我是不灵的。"

晴明说完，那首领的脸上露出愤怒和惊讶的表情。

"好啊，原来你是阴阳师！"

他大叫。晴明不回答，只有一缕若有若无的微笑浮现在红唇边。

"算了，今晚姑且回去吧。"

那首领说完，呼的一下，身影淡了下去，消失了。接着，另外三个唐人的身影也渐次消失，仿佛溶入月光中一般。留下来的只有忍觉一个人。

"您一定正在什么地方睡觉吧，能不能麻烦您给我们带路？"

听晴明说完，忍觉缓慢地迈出脚步。

七

"好，那就开始吧。"

说这话时，晴明人在正殿里。

在巨大的阿弥陀如来像前，晴明、博雅，还有忍觉、元心四个人坐在地板上。晴明和博雅并肩，与忍觉和元心对面而坐。

四座烛台上，点着四盏灯火。四人的旁边，是正佛阿弥陀如来像。对于晴明和博雅而言，佛像在右侧，对忍觉和元心而言，佛像则在左侧。

对面而坐的四个人之间，放着一具骷髅，脸朝着晴明的方向。

约莫半刻之前，晴明和博雅将正在熟睡的元心和忍觉喊醒了。

其他僧侣也在熟睡，但晴明和博雅只叫醒了这两个人。没有唤醒其他僧侣，是因为无法分辨他们究竟是被唐人施了法术，还是处于自然的睡眠。既然唐人业已离去，让他们继续睡下去也无妨。总之，晴明和博雅先叫醒元心与忍觉两位，四个人再一起来到正殿上。

忍觉清清楚楚记得自己在梦中为晴明所救的情形。

忍觉说，本来正与元心一起念诵着《心经》，渐渐睡意袭来，实在忍受不了，终于昏昏睡去。刚一睡着，唐人就在梦中出现了，正当要被他们带走的时候，幸好晴明与博雅及时赶来了。

"那好——"

晴明依旧坐着，从怀里掏出一张纸片，又请元心准备好笔、砚和墨，提起笔，在纸上写下几行文字——是咒文。

就这样做好一张咒符，晴明把它放入面前寿惠上人的骷髅里。

"总而言之，下一步该如何行事，我们就向寿惠上人请教吧。"

晴明说罢，便握起右手，伸出食指和中指，指尖放在骷髅的额头上，口中轻声念了两三句咒语。

"啊！动啦……"博雅小声叫起来。注目看去，原来放在骷髅里面的咒符在微微颤动。

没有风。没有一盏灯火在摇曳。然而，骷髅里面的咒符却开始颤动。

随着细微的颤动，咒符在骷髅里发出声音来。

"这、这是……"

博雅惊呼出声，看了看晴明。

"寿惠大人是把咒符当作舌头，在说什么吧。"

在博雅听来，那不过是纸张的颤动声而已。仔细倾听，那声音的确像人在说话，但要问到底说了些什么，就完全听不懂了。然而，看晴明的样子，似乎那是清晰的人语。晴明好像是在回应咒符的颤动声，或问或答：

"后来呢……"

"原来是这样。"

"那好……"

交谈在继续进行。

"那是在什么地方呢？"

晴明向着骷髅问道。咒符仿佛是在回答他的问话，像舌头一样，颤动了几下。

不久，咒符停止颤动，晴明也不再向着骷髅发问或点头示意了。他收回放在骷髅额头上的手指说："我搞清楚了。"

"你搞清楚什么了？"忍觉问。

"比如，刚才他们要把忍觉大人带到什么地方去。"

"要带到哪儿去？"

"藏经楼。"

"藏经楼？"

"贵寺藏经楼的角落里，有没有一个约莫这么大的金色坛子？"

"有。那坛子怎么啦？"说这话的是元心。

"对不起，能不能请你把那坛子拿到这儿来？"晴明说。

不一会儿，元心抱着坛子，回到正殿。

坛子放在骷髅的旁边，足有一抱大小，表面涂着美丽的金色，似乎是在表面涂上金色后又烧了一次。

"您知道这究竟是什么坛子吗？"晴明问忍觉。

"据说是常道上人创建本寺时，从东大寺拜领的礼物。"忍觉回答。

"其他还知道些什么？"

"这个……"

"据说，这坛子是从前大唐使用的东西。"晴明说。

"是吗？"

"听说是空海和尚把它带回日本的，曾寄放在东大寺，后来又传到贵寺来。"

"这些事情，都是这骷髅……寿惠上人告诉你的吗？"

"正是。"

晴明点头，然后又问忍觉：

"那么，您知道这坛子以前在什么时候、曾派什么用场吗？"

"不知道。"

"据说是长安某个道观的忏悔坛。"

"忏悔坛？"

"本来是放置在寺院或道观里的坛子。修道时，若有一些妨碍修行的杂念，就可以向这个坛子倾诉。比如偶一失足犯下了不便告诉他人的罪过，或者无法向人诉说的秘密之类，只要对着这个坛子轻声诉说一番，便可得到解脱，继续潜心修行……"

"……"

"这个坛子先传到东大寺，再传到最照寺，一来二往之间，大家都忘了这坛子的本来用途……"

"唔……"

"结果再也没人来向坛子忏悔自己的罪过，不知从何时起，这个坛子只得自己出来寻找忏悔罪过的人，把他们带到坛子里去。"

"这坛子竟然具有这种力量？"

"是。这是空海大师亲手挑选的坛子，在大唐曾经年复一年地吸收道士的忏悔，来到这里以后，又日复一日地聆听念诵经文，所以不知不觉中便蓄积了这种力量吧。"

晴明抱起坛子。

"好了，我是答应过寿惠上人的……"

说罢，他将抱在手中的坛子摔在正殿的地板上。坛子轰响一声，破碎开来，碎片散乱一地。

"啊呀！"

"啊呀！"

忍觉和元心同时大声喊叫起来。

从破碎的坛子中，大量的血流出来，地板都被染成了红色。这坛子里本来连一滴水都没装，这究竟是怎么回事？难道是从坛子的碎片中流出来的吗？

更加不可思议的是，坛子碎片的内侧居然画有一些图案。借着灯光把碎片拼起来一看，原来画的是建在深山里的一户大唐式宅院。

"就、就是这房子，在这里我……"

望着地上拼起来的图案，忍觉惊叫起来。

仔细一看，只见图中画着许多身着大唐衣装的男人。

"就是他们。他们把我们……"

唐人中，有几位手中拿着长柄铁铲，正抓着罪人模样的人，拖到宅院的前庭去。庭院一角画着烧得火红的大锅，里面大概是滚沸的铜汁。

"啊呀，这、这可真……"

忍觉结结巴巴，也说不出什么来。

"都怪这口坛子，怪这幅图画呀。"

元心轻声自语。

"如果方便的话，能不能把这个给我？"

晴明问忍觉。

"这口摔碎的坛子？"

"正是。"晴明点点头，"这可是空海大和尚从大唐带回的坛子啊。

虽然已经摔碎，仍然是上乘佳品。也许日后还可以有其他用场……"

"当然奉送，敬请收下吧。"

忍觉垂首行礼。

"万分感谢。"

晴明谢过之后，看了一眼博雅，心满意足地说道：

"博雅，全亏了你，今晚才可以圆满解决问题。现在回去的话，大概还可再一面赏月，一面喝上两三杯吧。"

晴明道满大斗法

一

春天已经来临。

樱花还没有开放，然而令人浑身发抖的严寒已经消失了。

在冰凉的外廊地板上，晴明侧卧着，竖起右肘，右手撑着头部，闭着双眼。

他面前的地板上，放着一只剩了半杯酒的琉璃杯。琉璃杯稍前一点，放着另一只酒杯，酒杯再过去一点，是源博雅坐在外廊内。

梅花谢了，桃花也谢了。现在，樱花正含苞欲放。有些枝头上，已经绽开了一两朵性子急的樱花。

晴明宅邸的庭院内，千叶萱草、繁缕等植物炫示着绿色的叶子，可是大概过不了多久，就会被后来居上的野草埋没，不见踪影了。

午后的阳光，柔和地照射在庭院内。放置在木条地板上的琉璃杯，也有阳光投射其上，将闪闪发光的绿色投影映在地板上。

博雅满脸迷茫，望着晴明已有一阵子了。看上去好像还有点怒容。

"晴明，你真的不在意吗？"博雅忍不住问道。

"什么事？"晴明依然闭着眼睛。

"就是明天的事呀。"

"明天？"

"你明天不是要与芦屋道满大人斗法吗？"

"哦，你是说那件事啊。"

"难道还有别的事？我担心得很，特地赶来看你。你倒一副事不关己的样子，优哉游哉地躺在这里闭目养神。"

投射在琉璃杯上的阳光反射回来，在晴明闭着的眼睛上舞来跳去。

晴明似乎感觉炫目，睁开了眼睛。

"可是，就算我起来了，也不会因此改变什么呀。"

晴明将脸庞移向旁边，避开反射的光线。

"但是，对手可是那个道满啊。"

"嗯。"晴明点点头，终于撑起身来，盘腿坐在木条地板上，背倚廊柱。穿在身上的白色狩衣，有一部分被阳光照着，令人目眩。

"你为什么要接受这样的挑战？"

"为什么？哦，博雅，这难道不是你让我接受的吗？"

"我只不过是奉圣上之命，没奈何只得向你传话。我以为你一定会拒绝的。"

"那男人让我办的事，能拒绝得了吗？"

晴明微笑着说。他说的"那男人"，便是村上天皇。

"唔，唔……"

博雅硬是把话咽回去。只用无可奈何的眼神注视着晴明。

事情的经过是这样的——

四天前，在宫中，晴明和道满的能力成了众人谈论的话题。

地点是紫宸殿。以村上天皇为首，在场的还有几个殿上人。不过，主要的发言人是左大臣藤原实赖和右大臣藤原师辅。

"古往今来，的确有不少高明的阴阳师，但是如果只推举出一人的话，那么该是谁呢？"

首先提起这个话题的，是村上天皇。

起初，大家议论的话题是技艺。先从琵琶名手以谁为最说起，继而又议论绘画以谁最妙，当谈到相扑力士中谁最强大的时候，村上天皇漫不经意地随口插了这么一句。

虽然是漫不经心地随口说出，但既是天皇的金口玉言，众人便无法置若罔闻。

"要说阴阳师，已故的贺茂忠行大人声誉极高。不过，若论当今第一的话，他有一位公子贺茂保宪……"有人这么说道。

"不，若论当代第一，恐怕非天文博士安倍晴明莫属。"说这话的是左大臣藤原实赖。有人点头赞同。

"听说安倍晴明会使唤很多式神，还曾在宽朝僧正的遍照寺内，只用一片柳叶就压扁了青蛙。"

"这事我也听说过。"

"我听说这位晴明大人，还在一条戾桥下面饲养着式神呢。"

"果然如此，晴明大人嘛……"

大家正议论得津津有味，只听一声："且慢！"

发话的人是右大臣藤原师辅。师辅是实赖的胞弟，有事无事，总是要跟兄长唱唱反调。

"哎呀，我不是否定晴明大人的能力，但并不是只有阴阳寮中的阴阳师才算得上阴阳师呀。"

"什么意思？"实赖问。

"我是说，江湖上也不乏高明的阴阳师。"

"哦？"

"我听说播磨国的众法师中，有一位名叫芦屋道满的阴阳师，据说他是法术相当高超的人物。"

"芦屋道满？"

"听说他收人钱财，专门替人施用魔魅、蛊毒之类的方术，还会使用咒术……"

"那可够危险的。"

"不，如果说危险的话，保宪大人也罢，晴明大人也罢，只要想干，他们也都能像道满一样，大施魔魅法、蛊毒术之类。"

"不过，难以想象保宪大人和晴明大人也会施用咒术啊……"

"那当然。不过，道满大人也并不是故意去诅咒别人。如果不是有人出面请他施用咒术，他也不可能做出危险的事。"

关白太政大臣藤原忠平一直沉默不语，听着实赖和师辅两人唇枪舌剑，此时开口说话了。

"这位芦屋道满倒是听说过，但他的能力究竟怎么样呢？"

忠平是实赖和师辅两人的父亲，为了不让两人继续进行毫无意义的争吵，便故意插进话来。

"听说他用手一指，飞鸟便会掉下来。他还会在水上行走。"师辅回答。

"这不是有趣得很吗？"忠平说道。

"有趣？"

"我是说，把安倍晴明和芦屋道满两人召进宫来，让他们两人斗法，较量一下方术。"

"是这样啊。"

"这的确有趣……"

实赖和师辅都表现出浓厚的兴趣。

"圣上觉得如何？"忠平询问天皇的意见。

"斗法嘛……"天皇点点头，"的确有趣。晴明倒也罢了，道满人在何处，你们知道吗？"

"听说西京有座残败的寺院，他就寄居在那里，可以派人去那里寻找。"师辅回答。

"那好，立即派人去找芦屋道满，问他是否愿意与晴明斗法。"忠平说道。

"是。"师辅垂首应道。

"晴明大人那里，谁去为好呢？"忠平又问。

"源博雅大人怎么样？"

"有道理，博雅大人平素便与晴明大人很有交情，就劳驾博雅大人吧。"

"好主意。"

有几个人随声附和。结果，天皇便命博雅去完成这项任务。

三天前，博雅专门为这件事来到晴明宅邸。

"我本想阻止什么斗法不斗法的。可是晴明，那天我恰恰不在场……"

来访的博雅十分过意不去，抱歉地对晴明说。

"因是圣上亲口对我下诏，不得已我只好来了。如果你不想接受的话，只管拒绝就是了。"

博雅说完这话，就回去了。这是三天前的事情。

今天，博雅又来到晴明宅邸。他听说晴明答允与道满斗法，急得坐立不安，连忙赶了过来。

来了一看，发现晴明正半躺在外廊内喝酒。

"博雅，来陪我喝一杯吧。"

听晴明这么说，博雅只好坐下来。就这样，此刻还在和晴明对酌。

这场斗法，就定在明天。

"晴明，明天你们斗法后，还要让你们卜卦，猜出装在箱子里的是什么东西呢。这消息你听说了没有？"博雅问。

"啊，听说了。"

晴明若无其事地轻松回答，没有丝毫担忧的样子。

"博雅，今天你在这里多待一会儿吧。"

晴明眺望着春天的庭院，说道。

二

清凉殿——

晴明坐在台阶的木条地板上。

坐在对面的，是一位奇怪的老人。老人满头白发，乱糟糟的犹如茅草，胡子也是白的。刻着深深皱纹的脸孔却是黝黑的。不知道是被太阳晒黑的，还是生来如此，抑或因为肮脏的缘故。浮着浅笑的嘴唇不无嘲讽，露出的牙齿又黄又长。

芦屋道满——这个平日不修边幅的男人，这天倒是衣冠齐整，一身新衣。那是有资格上殿的人平素穿戴的锦衣。然而，焕然一新的仅仅是外观，里面包裹着的依旧是那个道满。

这天，第一次在宫内与晴明见面时，道满用右手搔着后脑勺招呼道："啊，晴明——"

嘴角浮出一缕害羞似的笑容。

"这身衣服，可拘谨得不行。"

若在平时，依道满的身份是不能进宫的，可是这一天，天皇特别下诏，允许他上殿。

晴明与道满相对而坐。在两人对面的房间里，已经聚集了众多与这件事相关的人物。

里间竹帘后面，坐着天皇。在低一级的台阶上，左大臣藤原实赖和右大臣藤原师辅分坐左右。关白太政大臣藤原忠平也在座。还可以看见神情紧张的源博雅。

当藤原恒清长篇大论地致辞，介绍今天的斗法时，道满只是漫不经心地眺望着屋檐外的蓝天和流云。而晴明红色的嘴唇上浮现出若有若无的微笑，闭目而坐，宛似睡着一般。

庭院里，四五只麻雀在地面上啄食。

致辞终于结束，恒清道："那么，接下来如何开始呢？"

"呀，多好的蓝天啊。"

道满低语着。目光穿过屋檐，望着天空。众人听他这么一说，都不约而同地举目仰望蓝天。实赖和师辅也探出身子，眺望天空。坐在里间的天皇却无法看到。

天空湛蓝，洒满春天的阳光。流云飘过，一片，又一片。

"云彩飘过去了。"道满仿佛一位和蔼的老人轻声细语，"哪怕是这样晴空万里，只要龙神愿意的话，转瞬之间就会掀起一场暴风雨啊。"

"……"

众人弄不明白道满到底在说什么。似乎他马上就要露一手，但是，没人知道他究竟打算搞什么名堂。

"可惜，坐在里间就无法看见云彩和龙神是如何行动的啦。"

道满轻轻扬起右手，朝着空中招了招手。于是，流过空中的一朵云改变了方向，飘飘忽忽地向着清凉殿飞落下来。眼看着那片云飘到庭院上方，居然飘进清凉殿里了。

"哦！"

大家不禁惊呼起来。云朵盘踞在清凉殿的天棚上，转眼之间变了颜色。白云变成了乌云。就在众人的头顶上，乌云翻滚，开始闪过细细的绿色雷电。

"啊！是龙！"

有人大声惊呼。黑云中，一条身体上卷缠着雷电的龙正在翻滚腾跃。从云间隐约可见蓝色的鳞片。

"是龙！"

"有龙啊！"

众人正在大喊大叫，耳边猛然响起一阵猛兽的咆哮。

回头一看，不知何时木条地板上出现了一只白虎，黄色的眼睛炯炯放光，仰头怒视着天棚上的黑云。

"哦，是老虎！"

"白虎来啦……"

一片惊呼声中，只见白虎四足一蹬，猛然跃向空中，纵身扑进黑云里，与龙激烈地搏斗起来。

这时，只听见"啪、啪"两记击掌声。刹那之间，仿佛梦幻一般，黑云、龙、虎，都忽然消失得无影无踪了。

击掌的人，正是晴明。他睁开双眼，微笑着注视大家。

"啊，这是?！"关白太政大臣藤原忠平大叫。众人顺着忠平的视线望去，只见地板上落着两张分别剪成龙虎形状的纸片。

透过屋檐抬头望去，只见晴空万里，好像什么事情也没有发生过，云朵依然悠悠地飘在空中。

就在刚才，就在此地，道满和晴明之间似乎进行了一场激烈的斗法，可是，双方究竟动用了何种力量，施用了什么法术，却无人得知。

心知肚明的，只有晴明和道满两人而已。

三

"烦请给我准备砚和墨……"说这话的是晴明。

"墨？"实赖询问道。

"正是。顺便准备少许水和一扇围屏……"

墨拿来了。晴明认真地磨起墨来。磨好墨，他从怀里取出一支笔。

面前已备好一架丝质围屏。晴明用笔饱蘸墨汁，单膝跪在围屏前。

从围屏的左侧开始，笔尖滑过去，由左及右画出一条直线，将围屏分成上下两段。

晴明放下笔。为了让众人都能看清，在外廊内将围屏换了换方向。

"这是什么？"忠平问。

"大海。"晴明答。

果然，这么一说，那条将围屏分成上下两半的水平线，看上去的确不无大海的感觉。晴明将右手伸入怀中，取出一把折扇，打开半面，在一旁静静地扇起来。

"这又是什么？"忠平又问。

"起风了。"晴明似答非答，自言自语似的说着。

"浪来了……"晴明话音刚落，围屏上左右勾勒的那条水平线，开始微微地上下波动。

"风大起来啦。"

晴明加快了扇动折扇的速度。

"浪高起来啦。"

围屏上浪头越来越高。起初只是单纯的一条横线，现在却完全变成了大海，在围屏上出现了滔滔波浪。

"浪越来越高啦。"

晴明用力扇着扇子，海浪越来越高，前浪催后浪，溅起了水花。那水花飞溅到屏风外面。

"啊！"

"好凉啊！"

坐在屏风附近的人们，一个个都捂着脸，连忙退身向后。

波涛汹涌。"轰隆"一声，海浪溢出围屏，流向清凉殿中。

这只是个开端。随着第一波巨浪，接二连三汹涌而至的波涛不断溢出围屏。终于，海水宛如瀑布一般，从屏风中飞流直下。

"哎哟！"

"不得了啦！"

左大臣实赖、右大臣师辅，以及关白太政大臣忠平都慌忙站起身。

"晴明！"

博雅也站了起来。在竹帘后面，连天皇也站起来了。

满屋子的海水流向屋外，又从台阶流到庭院。依然端坐不动的，只有晴明和道满两个人。

道满把右手伸入怀里，取出一个粗陶杯，放在海水流过的地板上。杯子竟没有被海水冲走，稳稳地立住。接着，漫溢出来的海水以道满放下的素陶杯为中心，打起旋涡。

原本比坐着的道满膝盖还高的海水，不断地被吸进素陶杯里。眼看着水位渐渐下落，等回过神来，清凉殿也罢，庭院也罢，哪儿都没有一滴水了。

刚才看上去淹满了水的地板和台阶居然并不潮湿，连身上穿的衣服也丝毫没有濡湿。在木条地板上，只剩下一架画着一条横线的围屏，旁边坐着微笑的晴明。

道满的膝旁，放有一只杯子。

杯子里装满了水。道满把它拿起来，恭恭敬敬地递给忠平。

"请……"

忠平惶恐不安地接过杯子。

"请喝吧。"道满说。

"要我喝这个吗？"

"是。"道满垂首行礼。

忠平向竹帘后扫了一眼，下定决心豁出去似的，把杯子送到嘴边，呷了一口。

水刚一含到口中，忠平的表情顿时变得十分古怪，似乎是想将口中的东西吐出来，却又望了一眼竹帘后面，"咕噜"一声咽了下去。

"好咸！"忠平大叫着，伸出左拳擦了擦嘴巴，"这是海水！"

四

道满向着晴明伸出右手，手掌握成拳头。指缝之间，露出茶色羽毛般的东西。

"这是刚才庭院里遭水淹的麻雀。"道满说道。

"请问晴明大人，这只麻雀究竟是活着，还是死了？"

"呵呵。道满大人——"晴明嘴角浮出微笑，说道，"我如果说还活着，你大概会把麻雀捏死在手中。我如果说死了，你大概会把麻雀放回空中吧？"

"哼……"

道满尴尬地苦笑着，摊开右手。于是，麻雀从手掌上腾空飞起，迅即穿过屋檐逃向天空。

"呸！"道满嘟囔着，用右手搔着右耳朵后面，搔得咯吱作响。

"晴明，道满！"

这时，响起了忠平呼唤两人的声音：

"我们已经欣赏过两位的方术了。接下来，请用我们备下的物件来猜东西吧。"

"哦。"

"猜东西嘛……"

道满和晴明同时小声说着。

"是射覆。"忠平说。

所谓射覆，就是猜测被覆盖或隐藏起来的东西是什么。放在晴明和道满面前的，是一只表面饰有龟鹤螺钿纹样的箱子，扎着紫色的丝绸带子。

"请两位猜猜这里面藏着的东西是什么。"忠平说。

"道满猜数目，晴明猜里面是什么东西。"

"明白了。"

两人点头答应。

道满注视着那只箱子，问晴明："我先回答，可以吗？"

"请。"晴明表示同意。

"里面是十二只老鼠。"道满脱口而出。

"你、你怎么……"

右大臣藤原师辅大叫出声。

看了一眼失声大叫的师辅，道满笑道："是一十二只老鼠。"他满脸得意的笑容。

博雅在对面惊讶得险些站起身来。

这场较量应该一方回答数字，一方回答是什么东西。如果让道满先回答，他应该说"十二"才对。然而，道满却一张口就把两个答案都说了出来。假如这是正确的答案，那么无论晴明是回答数字，还是回答藏在里面的是什么东西，都会被大家看成是模仿道满。

然而，晴明却处乱不惊。他表情沉静地说道："是四只大柑子。"

大柑子——就是酸橙。

"喂、喂！"这次是博雅惊叫出声。

大柑子应该在夏天才结果。现在这个季节，树上恐怕还没结出果实呢。也就是说，箱子里根本不可能藏有这种东西。

"原来如此，你竟然来这么一招啊，晴明大人……"道满低声说着。

"十二只老鼠。"他又一次说道。

"四只大柑子。"晴明也再次报出答案。

于是，道满再度轻声说："十二只老鼠。"

"四只大柑子。"晴明也轻声说。

"十二只老鼠。"

"四只大柑子。"

彼此寸步不让。

"道满大人——"晴明说，"你先回答了，然后我也回答了，没必要再这样争执下去了吧？"

"不错。"道满点头。

"那好，打开一看不就全知道了吗？"忠平这样说着。

晴明和道满都沉默不语。

"那么，我打开啦……"

箱子打开了，果然如同晴明所猜的那样，里面有四只大柑子。

"怎、怎么会……"

师辅惊诧不已地大呼小叫。

"哈哈，真不愧是晴明大人，我的方术远不及你……"

道满的模样毫无羞惭，纵声哈哈大笑。

五

两人悠然自得地喝着酒。

夜晚——

晴明宅邸庭院的樱花，因为白天天气暖和的缘故，已经开始绽放了。从外廊内抬头望去，在黑暗中，依稀可以看到点点白色的花朵。

晴明和博雅相对而坐，正在喝酒。

外廊内放着一大瓶酒和三只素陶杯子。其中两只已经斟满酒。

两人不时举杯喝酒，漫不经心地眺望着夜晚的庭院。

今天，晴明与道满刚斗过法。

"话说回来，我还是大吃一惊啊，晴明……"博雅说道，"你和道满两人，各自坚持老鼠和大柑子的时候，大概在彼此较量吧。"

"啊，的确如此。"

"两人轮流说，最后说出那东西名字的人，他的咒语便决定箱子里的东西是什么，对吗？"

"嗯。"

"起先道满大人说出答案时，连数目和东西名字一起说出来，我真是急得不知所措啊。其实，对抢先回答的道满大人来说，反倒不利吧？"

"……"

"可是晴明，更令人吃惊的事，倒是在你和道满大人走后发生的。"

"哦？"

"你们走后，右大臣藤原师辅大人第一个冲到箱子前。师辅大人的神态好像有点不服气，一会儿拿起大柑子，一会儿反复查看箱子里面，看了左一次右一次……"

最后，他好像想到了什么。

师辅喃喃说了一声什么，开始剥大柑子的皮。

"诸位大人，麻烦大家把这些大柑子的皮剥开。"

听到这话，几个人动手将四个大柑子的皮剥开了，没想到里面竟然爬出了萱鼠。原来四个大柑子中，每一只里都有三只小小的萱鼠，柑子皮还没剥到一半，它们便从里面爬了出来。

"原来你和道满大人都猜出了箱子里是什么东西呀。"

博雅又说：

"不仅如此，从箱子里爬出的萱鼠，个个嘴里都还叼着一件金光闪闪的小东西呢。你知道那是什么东西吗？"

"是金制的十二神将吧？"晴明答道。

"你怎么知道，晴明？完全正确。萱鼠叼着的，正是用金子雕成的十二神将像，每个都有小手指大小。"

十二神将是药师如来的部属，一共是十二位守护神。

子神将，宫毗罗。

丑神将，伐折罗。

寅神将，迷企罗。

卯神将，安底罗。

辰神将，安尔罗。

巳神将，珊底罗。

午神将，因达罗。

未神将，波夷罗。

申神将，摩虎罗。

酉神将，真达罗。

戌神将，招杜罗。

亥神将，比羯罗。

"众人连忙慌手慌脚去抓那些口中叼着神将的萱鼠。他们这么做，其实大有缘故。"

"放在箱子里的东西，原本就是这十二神将，对不对？"

"晴明，原来你知道啊？"

"那是藤原师辅大人的宝贝吧？"

"嗯。多年前，藤原大人请东大寺的佛像雕刻师制作了十二神将像，据说极其精美。这次是师辅大人亲口提议把这些神像放进箱子里的。当时在场的人，据说除了师辅大人之外，就是实赖大人和忠平大人了，一共只有三个人知道这件事。"

"嗯。"

"十分遗憾的是，有一只萱鼠逃走了，怎么找都没找到。它口中叼着的那尊神将也就去向不明了。"

"哪个神将？"

"辰时的安尔罗。"

"呵呵。"

晴明说话时，庭院里似乎有人来了。

博雅向庭院纵目望去，发现院子的黑暗处，依稀站着一个人影。是一位衣衫褴褛的老人，茅草似的白发、白色的胡须都十分眼熟。

"道满大人……"博雅低声说道。

果然是芦屋道满站在那里。

"晴明……"道满轻声招呼。

"啊呀，道满大人，正在恭候您的大驾呢。"晴明对道满说道。

"我是来取约好的东西的……"

"这我知道。不管怎么样，先请这边来，喝点酒再走吧。"

"噢。"道满答了一声，接着便走过来，登上台阶走到外廊地板上，坐在两人之间。

"说实话，那身装扮可把我累惨啦。"

道满搔着头笑道。晴明拿起酒瓶，往空着的第三只杯子中斟满酒。道满津津有味地喝起来。

"好酒！"

道满伸出舌头舔去沾在嘴唇上的酒滴。

晴明轻轻打了三下响指，从庭院里传来窸窸窣窣的响声，一只萱鼠沿着台阶的扶手爬到外廊内。

萱鼠的口中，衔着一个金光闪闪的东西。

"小东西，真了不起。"

晴明说着，从萱鼠的口中，把那金色发光的东西拿在右手里。

"这?！"博雅惊呼。

"这是黄金十二神将之一——辰时的安尔罗啊。"晴明回答道。

辰，就是龙。

"果然是极其精美。"晴明拿在手中，把玩了好一会儿。

"请吧。"晴明把神像递给道满。

"那我就收下啦。"

道满接过神像，理所当然地把它放入怀中。

"这可是师辅大人的……"

"没错。"晴明对博雅说道。

"怎么会在这里？究竟怎么回事，晴明？难道一开始你就打算把这神像给道满大人？"

"是啊，因为这是我们事先的约定。"

"约定？这是怎么回事？"博雅追问。

"是那小子先玩花招嘛。"道满说道。

"什么?！"

"师辅那小子，先跑到我这里卖乖，说是跟晴明斗法时要比射覆。

连那箱子里放什么东西都告诉我啦……"

"师辅大人怎么……"

"说既然他在宫中提到我的名字，为了体面，一定要让我赢才行。"

"于是，两天前的晚上，道满大人来找我啦。"晴明说。

当时，道满对晴明说："两天后的这场斗法，我来败给你怎么样，晴明？"又补充道，"作为交换条件，我想要一件东西。"

"什么东西？"

"箱子里的一个神将像，随便哪个都行。"

"为什么？"

"我要惩罚这帮家伙，他们简直无聊之极，居然想得出叫你我斗法。晴明，我让你赢。你得名，我得利，怎么样？"

"结果我答应啦。"晴明说。

"什么?！"博雅不知该说什么好。

"我们用自己的法术让他们开心一场。太便宜，太便宜啦！"

道满一边说，一边把酒杯举到嘴边。

"难怪箱子里出现大柑子时，师辅大人失口惊叫，原来是这么回事呀……"博雅仿佛终于恍然大悟，低声说道。

"来，喝酒！"晴明往博雅的酒杯中斟满酒。

"唔，嗯。"博雅端起酒杯。

"真是太好玩了，晴明……"

月亮沉到西边的山峦时，道满说了一句，然后站起身来。

"是啊。"

道满缓步走过外廊，走下台阶，走出院子。

"回头见……"

道满头也不回地说道。就这样，他的身影消失了。

"博雅，的确很有趣吧？"晴明说道。

沉默了好一阵子，博雅才低低地"嗯"了一声。

平安时代中期的平安京示意图

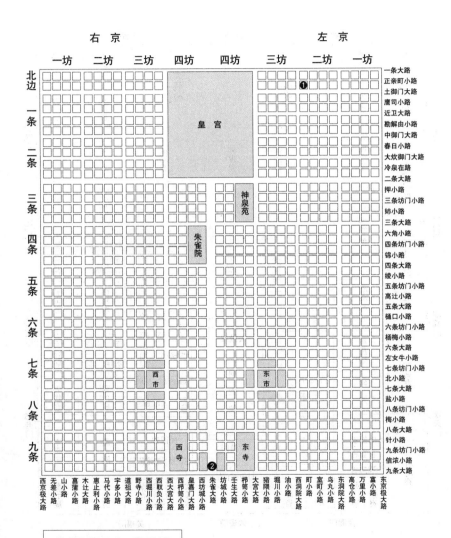

右 京　　　　　　　　　　　　　　　左 京

一坊　二坊　三坊　四坊　　四坊　三坊　二坊　一坊

北边 一条 二条 三条 四条 五条 六条 七条 八条 九条

皇 宫

神泉苑

朱雀院

西市　　　　　　　东市

西寺　　　　　东寺

一条大路
正亲町小路
土御门大路
鹰司小路
近卫大路
勘解由小路
中御门大路
春日小路
大炊御门大路
冷泉在路
二条大路
押小路
三条坊门小路
姊小路
三条大路
六角小路
四条坊门小路
锦小路
四条大路
绫小路
五条坊门小路
高辻小路
五条大路
樋口小路
六条坊门小路
杨梅小路
六条大路
左女牛小路
七条坊门小路
北小路
七条大路
盐小路
八条坊门小路
梅小路
八条大路
针小路
九条坊门小路
信浓小路
九条大路

西京极大路
无差小路
山小路
菖蒲小路
木辻大路
惠止利小路
马代小路
宇多小路
道祖大路
野寺小路
西堀川小路
西靱负小路
西大宫大路
西栉笥小路
皇嘉门大路
西坊城小路
朱雀大路
壬生大路
栉笥小路
坊城小路
大宫大路
猪隈小路
堀川小路
油小路
西洞院大路
室町小路
乌丸小路
东洞院大路
高仓小路
万里小路
富小路
京极大路

❶安倍晴明宅邸　　❷罗城门

平安宫大内里示意图

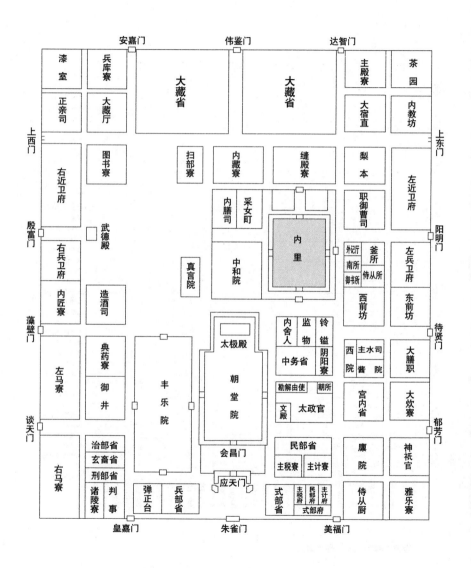

平安宫内里示意图

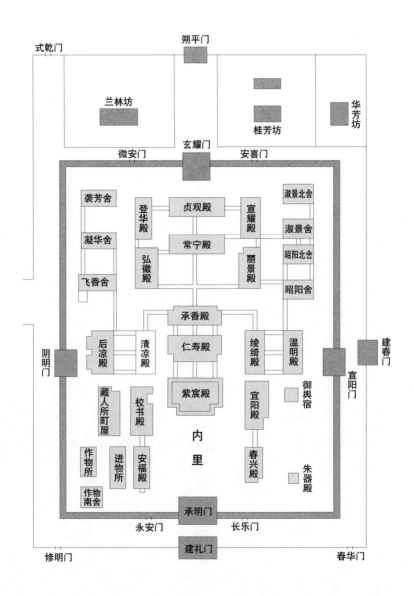

图书在版编目(CIP)数据

阴阳师.第2卷／〔日〕梦枕貘著；林青华，施小炜译.
－2版．－海口：南海出版公司，2014.1
ISBN 978-7-5442-6966-7

Ⅰ.①阴…　Ⅱ.①梦…②林…③施…　Ⅲ.①短篇小说-小说集-
日本-现代　Ⅳ.①I313.45

中国版本图书馆CIP数据核字(2013)第268841号

著作权合同登记号　图字：30-2012-011

阴阳师．第二卷

〔日〕梦枕貘　著

林青华　施小炜　译

出　　版　南海出版公司　　(0898)66568511
　　　　　海口市海秀中路51号星华大厦五楼　　邮编 570206
发　　行　新经典发行有限公司
　　　　　电话(010)68423599　　邮箱 editor@readinglife.com
经　　销　新华书店

责任编辑　翟明明
特邀编辑　朱文婷　胡圣楠
装帧设计　韩　笑
内文制作　田晓波

印　　刷　北京天宇万达印刷有限公司
开　　本　850毫米×1168毫米　1/32
印　　张　9.5
字　　数　246千
版　　次　2005年3月第1版　2014年1月第2版
印　　次　2021年1月第16次印刷
书　　号　ISBN 978-7-5442-6966-7
定　　价　49.00元